KB198079

라비돌 5 / la vie d'or

고광(高光) 현대 판타지 장편소설

초판 1쇄 찍은 날 | 2018년 12월 7일
초판 1쇄 펴낸 날 | 2018년 12월 14일

지은이 | 고광(高光)
펴낸이 | 예경원

기획 | 위시북스
편집책임 | 이규재
편집 | 위시북스

펴낸곳 | 예원북스
등록번호 | 제396-2012-000132호
등록일자 | 2012. 7. 25
KFN | 제1-343호

주소 | 경기도 고양시 일산동구 호수로 646-24 위너스21 II빌딩 206A호 (우)10401
전화 | 031-819-9431 팩스 | 031-817-9432
E-mail | yewonbooks@naver.com

ⓒ고광(高光), 2018

ISBN 979-11-89701-05-5 04810
       979-11-89450-37-3 (set)

※ 파본은 구입하신 서점에서 교환하여 드립니다.
※ 저자와 협의하여 인지를 붙이지 않습니다.
※ 이 책은 예원북스와 저작자의 계약에 의해 출판된 것이므로 무단 전재 및 유포, 공유를
   금합니다.
※ 이 도서의 국립중앙도서관 출판시도서목록(CIP)은 서지정보유통지원시스템 홈페이지
   (http://seoji.go.kr)와 국가자료공동목록시스템(http://www.nl.go.kr/kolisnet)에서
   이용하실 수 있습니다.

라비돌

la vie d´or

고광(高光) 현대 판타지 장편소설

WISHBOOKS GAME FANTASY STORY

CONTENTS

- 1장 -

법비(法匪)(1)

　대남의 물음에 검사장의 표정이 더욱 험악해져만 갔다. 미간을 잔뜩 찌푸린 채 대남을 노려보는 그 모습은 일찍이 온화했던 검사장의 얼굴에서는 찾아볼 수 없었던 풍경이었다.

　하지만 검사장은 언제 그랬냐는 듯 불편한 기색을 지워내고 말했다.

　"자네는 본인의 말을 책임질 수 있는 위치인가?"

　"범인을 잡는 데 직책이며 위치가 무슨 소용이겠습니까."

　"애석하지만 잘못 짚었어. 검사 시보는 말일세, 검사가 아니야. 기자회견장에 대변인으로 얼굴 한번 비쳤다고 해서 착각을 하는 일이 없었으면 좋겠네. 자네와 강 검사 때문에 동부지검이 흔들려서야 쓰겠나."

　검사장의 목소리는 그 어느 때보다도 진중했다. 대남을 바라보는 그 시선은 더 이상 검사 시보를 향한 눈초리가 아니었다.

"자네는 연수원에 입소한 까닭이 무엇인가. 사업가의 면모를 보여주며 꽤나 걸출한 기업체를 운영했었다고 들었는데 말이야. 굳이 법조계로 나설 필요가 있었을까 싶어. 명성과 권력을 가지고 싶었나?"

"명성과 권력은 굳이 법조계가 아니더라도 가질 수 있습니다."

"광오한 발언이군. 젊을 적에야 실패를 염두에 두지 않고 질주를 하게 마련이니 그렇게 오판을 할 수 있다고 보네. 하지만 지금처럼 불필요한 부분까지 들춰가며 살아간다면 앞으로 자네 앞을 가로막는 방해물들은 어떻게 하겠나."

검사장은 대남을 떠보았다. 과연 눈앞의 젊은이가 자신과 동류일까, 아니면 강현욱과 마찬가지로 요란하게 정의를 부르짖는 부류일까.

동부지검에서 여태껏 보인 대남의 모습은 다른 검사 시보들과는 타의 추종을 불허할 정도로 뛰어났다.

오죽하면 웬만한 평검사보다 검사 시보 김대남이 더 낫다는 말이 공공연히 떠돌겠는가.

"방해물이 있다면 밟고 앞으로 나아갈 겁니다."

"도저히 감당하기 힘든 방해물이라고 할지라도? 회유를 하거나 현실과 타협한다면 오히려 더 높은 자리로 날아오를 수 있을 텐데 말이야. 사람은 보기보다 의지가 강한 동물이 아닐세. 자신의 입장에 맞춰 합리화를 할 뿐이지."

"검사장님께선 현실과 타협하셨습니까."

대남의 물음에 검사장은 고개를 저어 보였다. 둘 사이에서 미묘한 신경전이 오가고 있었다. 말로 형용할 수 없는 시선의 교환이 맹렬히 맞부딪치기를 반복했다.

검사장은 어디서 이런 놈이 갑자기 동부지검으로 뚝 떨어졌나 싶어 골치가 아팠다.

"자네들이 김 부장의 병원을 옮겼다지?"

"혹여나 또 다른 추가 범행이 벌어질지도 모르는 상황 아닙니까. 지금으로선 김 부장님이 유일한 목격자이자 살아 있는 피해자이니 말입니다."

"그 말인즉, 김필재 부장을 연쇄살인 사건의 연장선으로 보겠다는 건가."

"여부가 있겠습니까."

대남의 대답에 검사장이 마른 입술을 쓸어 보였다.

아마도 백방으로 수소문을 한다고 한들 김필재 부장의 거취를 찾기란 힘들 것이다. 지금 당장에만 하더라도 김 부장이 있는 병원을 아는 사람은 강 검사와 대남을 제외하고는 없었다.

"검사 시보를 앞에 두고 이런 말을 하는 것 자체가 어불성설이겠지. 이쯤 했으면 알아들었을 거라고 보네. 이만 일어나게.

더 하고 싶은 말이 남았나? 오늘 자네가 나한테 했던 실수는 다 눈감아줄 테니 걱정하지 말고 말이야. 하지만 젊은 날의 호기는 자칫하면 제 목숨마저도 앗아갈 수 있다는 사실을 깨닫기 바라네."

검사장은 눈을 지그시 감으며 말했다. 마치 통보와도 같은 그의 말에 대남은 아무렇지 않은 표정으로 대답했다.

"앞으로 수사해야 할 것이 산더미 같습니다. 더 열심히 하라는 말씀 새겨듣고 앞으로 수사에 더 박차를 가하도록 하겠습니다. 보잘것없는 검사 시보지만 동부지검을 위해 제 모든 노력을 다할 것입니다. 그럼."

대남은 짧게 묵례를 하고는 곧장 뒤돌아서 걸음을 옮겼다. 머리 뒤로 따가운 시선이 느껴졌지만 개의치 않았다.

검사장과 검사 시보의 독대라기에는 턱 어울리지 않는 대화 내용이었지만 그 안에 느껴졌던 신경전은 그 어느 때보다도 치열했다.

대남이 자리를 비우자 검사장이 대남이 앉아 있었던 자리를 흘겨보며 말했다.

"건방진 새끼."

계장과 실무관은 오매불망 대남을 기다렸다. 혹여나 검사장실에서 무슨 일이라도 생겼을까 걱정이 앞섰다.

더욱이 자신들이 모시고 계신 강현욱 부부장검사는 서부지검은 물론 동부지검에서도 눈 밖에 난 사람이 아닌가. 이에 덩달아 검사 시보까지 옆으로 밀려 나는 건 아닐까 염려될 수밖에 없었다.

"대남 씨, 괜찮아요?"

"괜찮습니다."

그 순간, 대남이 검사실의 문을 열고 들어섰다. 실무관은 곧장 자리에서 일어나 대남에게 다가갔다. 대남은 실무관과 계장에게 짧은 미소를 띠어 보이는 것으로 대답을 대신했다.

바깥의 소란에 강 검사도 자신의 집무실에서 나와 대남을 마주했다.

"일단 들어가서 이야기하지."

"네, 검사님."

대남과 강 검사는 집무실 소파에 앉아 검사장실에서 벌어졌던 일들을 논의했다.

대남의 이야기를 잠자코 듣던 강 검사의 동공이 눈에 띄게 흔들렸다. 혹시나 하고 짐작하고 있었던 용의자 물망이 단박에 좁혀져 버렸기 때문이다.

"김필재 부장이 남긴 물증이 있다면 찾아야겠지만, 혼수상태가 아닌가."

"병원에서는 깨어날 가능성이 없답니까?"

"담당의 말로는 시간이 얼마나 걸릴지 모르겠다고 하네. 이미 쇼크까지 진행된 상태였고 우리가 조금만 늦었어도 그대로 돌아가셨을 텐데, 기사회생한 것이나 다름없지. 지금도 그저 정신력으로 버티고 있다고밖에 설명이 되지 않는다고 하더군."

강 검사의 목소리에는 착잡함이 가득 배어 나오고 있었다. 부장이 검사로서 살아보겠다고 뜻을 확고히 세우고 얼마 지나지 않아 봉변을 당했다. 모든 일이 자신으로 인해 일어난 것 같아 죄책감이 들었다.

대남은 그런 강 검사를 향해 나지막이 말했다.

"김필재 부장은 물증을 남겼습니다. 그리고 범인에게는 확실히 없다는 것이 확인되었습니다."

"그렇지만 우리에게도 없지 않은가."

"그건 우리의 생각입니다."

대남은 앞으로의 수사 방향을 어떻게 전환하느냐가 중요하다고 생각했다. 검사장은 분명 검사 시보인 자신을 강 검사보다 만만하게 생각하고 말문을 튼 것일 터, 도리어 일이 꼬이게 될 줄은 상상도 못 했을 것이다.

"검사장은 지금 심경이 복잡할 겁니다. 그리고 김필재 부장이 남긴 물증이 어디 있는지 눈에 불을 켜고 찾아다닐 테고요. 그의 마음 한편에는 혹여나 형사3부가 가지고 있지 않을까 하는 의혹도 싹을 틔우고 있을 겁니다."

"그렇겠군, 검사장이 자네를 불러냈다는 것부터가 실수였으니 말이야. 자네라면 앞으로 어떻게 하겠나."

"검사장의 마음을 더욱 심란하게 만들어야겠지요. 혹여나 자신의 치부가 들킬까 심려하는 그의 마음은 작은 돌멩이 하나를 던진다고 해도 큰 파문이 일어날 겁니다. 그리고 전."

강 검사의 시선에 대남이 흡족한 미소를 지어 보이며 말했다.

"복잡한 심경을 요동치게 만들 생각입니다."

일주일 후, 동부지검 기자회견장 안에는 갑작스러운 호출에 어안이 벙벙한 표정의 언론사 기자들이 자리를 지키고 있었다.

지난번과 마찬가지로 검찰에서 직접 공문이 내려왔다. 표면상은 마양동에서 벌어진 연쇄살인 사건에 대한 추가 조사 발표라고는 하지만 실상은 어떨지 몰랐다.

"이번에 부장검사가 피습당했다는 말이 있던데 사실이야?"

"조직폭력배에게 당했다는 말이 있던데……."

"김 기자 말조심해, 여기 동부지검이야. 확실하지 않은 뜬소문 잘못 퍼뜨렸다가는 우리도 잡혀간다고."

갑작스럽게 소집된 동부지검의 기자회견장은 기자들의 수군거리는 소리로 시장 바닥을 방불케 했다.

저마다 동부지검에서 들려오는 소문들을 교환하며 무엇이 진실이고, 어디까지가 가십인지를 파악하기에 바빴다. 특종이라고 해도 검찰과 관계된 이야기는 허투루 쓸 수 없었기 때문이다.

"방송국까지……?"

누군가가 혼잣말로 읊조렸다. 어느새 기자회견장 한편에는 보도국 생중계 카메라까지 설치되고 있었다. 한마디로 기자회견을 실시간 방송으로 송출하겠다는 심산이었다.

갑작스럽게 커진 스케일에 기자들의 목울대 사이로 침 삼키는 소리가 들려왔다. 이 정도로 검찰에서 공을 들였다는 것은 그만큼 심상찮은 일이었기 때문이다.

일순, 기자회견장의 문이 열리고 그 사이로 대남이 걸어 나왔다.

기자들은 일찍이 검사 시보인 대남이 마양동 연쇄살인 사건의 대변인으로 나선 적이 있었기에 의아한 눈초리로 그의 뒷모습을 뒤따랐다.

대남은 카메라 세팅이 완료되었다는 신호와 함께 마이크 앞에 입을 가져다 대었다. 모두의 이목이 집중된 가운데, 대남의 목소리가 마이크를 타고 울려 퍼졌다.

"마양동 연쇄살인 사건에 대한 추가 조사 발표와 이번 김필 재 부장검사의 피습과 관련해 검찰 발표를 맡게 된 대변인 검 사 시보 김대남입니다."

연쇄살인 사건과 김필재 부장의 피습이 과연 어떤 연관성을 가지고 있는 것일까, 의문이 증폭되던 가운데 카메라가 대남 의 얼굴을 줌인했다.

이윽고 기자회견장에 태풍을 불러일으키는 대남의 말이 떨 어졌다.

"동부지검 형사3부 김필재 부장의 피습은 마양동 연쇄살인 사건의 연장선으로 추정해 현재 검찰 수사 중에 있으며, 본 수 사 지휘부는 유력한 용의자를 포착했다는 것을 알립니다."

"……!"

"그 말은 지금 검찰에서 용의자를 특정했다는 말씀이십니 까!"

기자들이 놀라 저마다 질문을 하기 위해 손을 번쩍 들어 보 였다. 일전과 같이 대남은 기자회견 중에도 기자들의 질문을 거리낌 없이 받아주었다.

"네, 맞습니다. 마양동 연쇄살인 사건의 수사를 진행했던 형 사3부 302실에서는 용의자를 특정했습니다."

"용의자가 어떤 인물인지 말씀해 주실 수 있으십니까!"

"검찰과 마양동 내에서 벌어지는 알력, 그리고 수사 체계에 대해서 손바닥을 들여다보듯 훤히 꿰고 있는 인물입니다. 그 외의 정보에 관해서는 아직까지 용의자가 범인으로 확정된 것이 아니기에 발언을 삼가겠습니다."

대남의 말은 그야말로 특종의 연속이었다. 수첩을 쥐었던 기자들의 손놀림은 그 어느 때보다도 바빠졌고 카메라 핸들을 잡은 카메라 감독의 얼굴에는 진땀이 흘러내리고 있었다.

대남은 그들을 향해 또 한 번의 거센 폭풍을 불러일으켰다.

"오늘 기자회견을 소집한 이유는 마양동 연쇄살인 사건의 발표뿐만 아니라 연쇄살인 사건의 피해자들과 연관이 있었던 검찰 고위 관계자에 관한 내부 고발을 진행하기 위해서입니다."

"내, 내부 고발……!"

여기저기서 탄성이 터져 나왔다.

카메라 감독은 주먹을 움켜쥐며 대남과 기자들의 모습을 번갈아 촬영했다.

특종 중의 특종이었다. 일찍이 내부 고발이라는 단어 하나만으로도 사회적 파장을 야기할 것인데 연쇄살인 사건과 연관되어 있다라, 기자생활을 오래 했던 그들조차 예상을 할 수 없는 중대 발표였다.

그 순간, 기자 중 누군가가 떨리는 목소리로 물었다.

"검, 검찰 고위 관계자라는 말씀은, 동부지검과 연관이 되어 있는 인물입니까. 또한 중앙지검에서 직접 내부 고발에 대한 수사 명령이 떨어진 것입니까?"

"중앙지검으로는 강현욱 부부장검사가 직접 내부 고발에 대한 문건을 가지고 보고 중에 있습니다. 아직 내부감사가 실시될지 안 될지는 미지수인 상황입니다. 하지만 정황상, 저희가 모은 자료들만으로 판단하건대 내부 고발을 진행할 수밖에 없다고 생각했습니다."

"그럼 현재 김대남 대변인께서 말하고 계시는 검찰 고위 관계자가 누구인지 실명을 밝혀주실 수는 없으십니까?"

모두의 이목이 집중되었다. 소란스러웠던 기자들도 이 순간만큼은 말을 멈추고 긴장감 속 침 삼키는 소리만이 기자회견장 안을 울렸다.

대남은 자신에게로 쏠린 이목을 받아내며 고개를 끄덕였다.

"밝히겠습니다."

카메라가 대남의 얼굴을 줌인했고, 기자들은 수첩을 손에 움켜쥔 채 핏발이 선 눈동자로 대남을 바라봤다. 좌중간 폭탄을 투하시키듯, 대남이 말했다.

"들어와 주십시오."

대남의 말에 기자들이 의문을 표하기도 잠시, 이목이 쏠린 가운데, 기자회견장의 문이 열렸다. 카메라 감독이 긴박하게 기자회견장의 문을 줌인했다.

정체를 확인할 수 없는 인영에 모두가 의문을 표하던 그 순간, 누군가가 소리쳤다.

"김, 김필재 부장검사……!"

그 소리를 시작으로 여기저기서 웅성거리는 목소리가 터져나왔고, 종국에는 자리에서 일어나 진의를 확인하려는 기자들까지 생겨났다.

달그락거리는 휠체어 소리와 함께 김필재 부장이 계장의 도움을 받아 기자회견장으로 들어서고 있었다.

기자들은 맹렬히 눈동자를 굴리며 지금 이 상황을 머릿속으로 계산했다.

피습을 당했다고 알려진 김필재 부장이 기자회견장에 모습을 나타냈다, 그것도 내부 고발자를 발표하는 결정적인 순간에 말이다.

"내부 고발자에 관한 발표는 김필재 부장검사가 직접 맡아서 하도록 하겠습니다."

"……!"

대남의 말에 기자들이 서로 시선을 교환했다. 단순한 연쇄살인 사건의 추가 조사 발표 자리인 줄만 알았건만 생각보다스케일이 컸다. 아니, 스케일이 큰 정도가 아니라 검찰 역사상전무후무한 일이 벌어지고 있는 것이나 다름없었다.

적막한 긴장감이 흐르는 와중, 김필재 부장검사가 휠체어가 대남 옆에 섰다. 그는 고개를 올려 대남과 시선을 교환하더니 이내 계장의 부축을 받아 자리에서 일어났다.

"……안녕하십니까. 동부지검 형사3부의 김필재 부장검사입니다."

오랫동안 말을 하지 못해 목이 쉬었는지 쇠를 긁는 듯한 목소리가 마이크를 타고 울려 퍼졌다.

기자들은 손에 땀을 쥔 채로 김필재 부장의 입에서 어떤 말이 나올지 귀를 기울였고, 카메라는 초유의 사태라 할 수 있는 지금 이 상황을 한 장면도 놓치지 않기 위해 안간힘을 썼다.

"동부지검 형사3부에서는 이전부터 내부 고발에 관한 조사가 은밀히 이루어져 왔습니다. 해당 대상자의 부동산 내역을 비롯해 차명 계좌를 조사했고, 위법을 저지른 기업들을 검찰 조사에서 무혐의로 풀어주는 대가로 금품과 향응을 대접받은 것으로 확인했으며 형사3부는 더 이상 이 일에 대해 좌시할 수 없다는 판단을 세웠습니다."

"……!!"

"김필재 부장께서는 피습을 당했다고 세간에 알려졌는데 사실입니까?"

김필재의 입에서 내부 고발 대상자의 이름이 나오려는 시점, 어느 눈치 없는 기자 한 명이 그렇게 소리쳐 물었다. 동료 기자들이 그 기자를 향해 따가운 시선을 보내던 그 순간, 김필재가 고개를 짧게 끄덕여 보이며 말했다.

"그렇습니다. 더불어 이번 내부 고발 대상자와 제게 상해를 가한 용의자는 동일 인물이라는 점을 미리 밝혀드립니다."

"그, 그 말인즉 마양동 연쇄살인 사건의 범인이 검찰 내부 관계자라는 말씀이십니까!"

"그렇습니다."

"……!!"

기자들은 충격의 도가니에 빠진 듯했다. 마양동 연쇄살인 사건의 주범이자, 부장검사를 음해하고 검찰 관계자로서 부정·비리를 일삼는 인물.

기자들은 지금 김필재 부장과 김대남 시보가 어떤 마음가짐으로 기자회견장에 올라섰는지 알 수가 있었다. 조직사회 속에서 내부 고발을 진행하기란 여간 어려운 일이 아니었기 때문이다.

"일단 용의자의 신상을 밝히기 이전에 이 녹취록부터 들어보시는 것이 지금 기자회견장을 지켜주시는 기자분들과 TV 생중계를 시청하시고 계신 국민 여러분이 이해하는 데 도움이 될 거라 사료됩니다."

김필재의 말이 끝나자마자 기자회견장에 설치된 스피커를 통해 두 남성의 녹취록이 흘러나왔다.

-김필재, 형사3부에서 요즘 내 뒷조사가 한창이라던데. 강현욱이 그 자식이랑 같이 좌천당하고 싶은가.

-…….

-화무십일홍이라고 했어. 자네 부장검사 단 지가 얼마나 오래됐는데 이러는 건가. 차장 달아야지. 부장에서 만족하다가 지방으로 좌천당 하면 해외에 있는 자네 가족들이 괜찮겠나. 그리고 마양동에서 벌어진 사건들도 이만 수습하고 종결해.

-연쇄살인 사건에 대해선 이미 제 소관이 아니고, 언론의 집중을 받 고 있습니다. 왜 무마하시려 드시는 것입니까.

-이유는 이미 알고 있을 텐데, 누가 했는지 알지 않나.

"……!!"

녹취록이 끝나자 기자들이 탄식을 터뜨렸다. 짤막한 대답이 었지만 녹취록의 말미에는 범인이 자신의 범행 사실을 시인하 는 뉘앙스였다.

마치 자신이 범행 사실을 시인한다고 하더라도 김필재 부장 이 쉽사리 움직일 수 없다는 것을 확신하는 듯한 그의 목소리 에는 자신감이 가득했다.

그 순간, 김필재 부장이 닫혀 있던 말문을 열었다.

"그럼 녹취록의 주인공이자, 마양동 연쇄살인 사건의 용의자이며 검찰 내부 고발 대상자에 관한 신상을 밝히겠습니다."

목발에 의지한 채 자리에선 김필재 부장의 모습이 카메라를 통해 여과 없이 생방송으로 송출되고 있었다.

전례 없었던 검찰의 행동은 TV 자리를 지키고 있던 국민들의 눈과 귀를 모았고, 역사의 한 장면으로 기록될 이 순간을 고대하듯 기자들이 자리에서 벌떡 일어났다.

"동부지검 형사 제3부는."

김필재 부장의 말이 계속될수록 기자회견장을 가득 메운 사람들의 손에서는 진땀이 흐르고 등 뒤로는 굵은 땀방울이 맺혀 흘렀다.

김필재 부장은 주위를 한번 훑어보고는 전 국민이 지켜보고 있을 카메라를 향해 용단을 내렸다.

"본 서울동부지방검찰 검사장 조민관을 금품수수 및 연쇄살인 사건 용의자로 긴급체포 명령을 발부하는 바이다."

자, 주사위는 던져졌다.

[동부지검 검사장 조민관 긴급체포!]
[조민관, 연쇄살인 사건의 주범?!]
[검사장의 이중생활, 사실인가 거짓인가!]

계장이 심각한 표정으로 조간신문을 훑어보고 있었다.

체포 영장이 기각될 확률이 높아 기자회견장에서 긴급체포 명령을 발부한 것은 신의 한 수였다.

국민들에게 이 사건의 심각성과 고위 공직자의 이중성에 대한 대대적인 공표를 했으니, 대검찰에서도 어찌할 바를 몰랐다.

"이거, 이거 이러다가 우리까지 모가지인 건 아니겠죠……?"

실무관이 조심스레 계장을 향해 물었다. 항간에는 동부지검 형사3부가 검사장을 향해 칼날을 들이밀었다는 이야기까지 나오고 있는 실정이었다.

"그럴 일 없습니다."

그 순간, 언제 들어왔는지 모를 대남이 집무실로 발걸음을 옮기며 말했다. 실무관이 화들짝 놀라 본인 자리로 이동했고, 계장은 마른 입술을 쓸어 보이며 조간신문을 접었다.

"검사장은 범행 사실을 시인했습니까."

대남의 물음에 강 검사가 고개를 절레절레 저어 보였다. 당연한 이야기였지만 허탈할 수밖에 없었다.

검사장을 힘들게 잡아넣었건만, 사법부가 구속영장을 기각하면 검사장은 다시 풀려나는 것이 기정사실이었다.

"걱정하지 마라. 차장님도 이번 일에 동의했다. 그때 했던 말 기억하지. 수단과 방법을 가리지 말고 범인을 잡아오라고. 오늘 아침에 차장실에 들르니까, 내게 그러시더라."

"어떤 말씀 말입니까."

"동부지검은 머리가 꺾인다 한들 죽지 않는다고."

대남은 강 검사의 말에 흡족한 미소를 지어 보였다. 차장검사와 부장검사가 동시에 검사장을 향해 등을 돌린 상태였다. 더 이상 동부지검에 검사장을 향한 우호세력은 없다고 봐도 옳았다.

하지만 우물 안 개구리 검사장이 그 사실을 알고 있을까.

"잠깐 조서실 좀 다녀오겠습니다."

대남의 말에 강 검사가 급히 고개를 돌렸으나, 이미 대남은 검사실을 빠져나와 조서실로 발걸음을 옮기고 있었다.

동부지검 형사3부의 텃밭에서 벌어진 사건들이었기에 중앙지검으로 이관은 되지 않았고 일반 범법자들과 마찬가지로 검사장 또한 조서실에서 혐의 추궁을 받고 있었다.

끼리릭-

조서실의 문을 열고 들어서자, 넉살 좋게 앉아 있는 검사장의 모습이 보였다. 대남과 시선이 마주치자 오히려 흘깃 웃는 모습이 이전과 다름없었다.

"식사는 하셨습니까."

대남의 물음에 검사장은 이맛살을 찌푸리며 되레 노려봤

다. 잡범에게나 하는 인사치레를 검사 시보가 검사장인 자신에게 한 것이 영 못마땅한 눈치였다.

"김대남이라고 했지, 이제 24시간 남았나? 그 안에 구속영장이 기각되면 내가 이곳을 무탈하게 빠져나갈 터인데 그다음에 무얼 할 것 같나. 법조계를 비롯해서 정치권에는 내 말 한마디면 죽는 시늉을 하는 이들이 수두룩하다네. 자네를 비롯한 형사3부 나부랭이들은 내가 무섭지도 않나."

"검사장께서는 단단히 착각하시고 계신 것 같습니다."

"무엇을?"

"범법자는 수인복을 입기 전까지는 이곳을 빠져나가지 못합니다."

"뭐!"

대남의 말에 검사장이 크게 노하며 눈을 부라렸다.

붉으락푸르락해진 피부와 시뻘게진 눈동자, 단정하지 못한 그의 옷매무새는 그가 지난밤 얼마나 다급하게 긴급체포를 당했는지 역력히 나타내고 있었다.

"정권이 바뀌었고, 제아무리 극악무도한 놈들이 세상을 활개 치며 사는 시대라고는 하지만 검사장과 같은 졸속을 상부에서 내버려 두겠습니까. 기자회견을 통해 공개된 녹취록뿐만 아니라 혐의점과 관련한 증거는 수두룩합니다. 이래도 아직까지 과거의 영광에 취해 자위를 하실 생각이십니까."

"난 범행을 지시한 적이 없네, 자네들은 헛물을 켜고 있는 것이야."

"이것들을 보시죠."

대남은 미리 준비해 두었던 사본 파일들을 검사장에게 건네었다. 본인의 차명 계좌 내역과 부동산 거래, 통화 내역까지 망라된 자료는 한두 달을 모아서 준비될 것들이 아니었다.

그 모습에 검사장이 느긋했던 자세를 고쳐 앉고는 경악을 금치 못했다.

"마양동 연쇄살인 사건이 벌어지기 이전부터 김필재 부장은 검사장의 행적에 관해 조사를 하고 있었습니다. 그렇게 눈에 띄게 받아먹는데 아무리 상관이라고 할지라도 조사를 안 하고 배겼겠습니까. 김 부장님도 마양동 사건이 터지고 나니 고민이 됐겠죠. 그리고 알았을 겁니다. 이걸 터뜨리자니 오히려 역풍이 불 수도 있다는 사실을요."

"……."

"보통 검찰 내부 고발과 관련한 사건은 암암리에 처리되거나 언론에 보도되는 바가 적었습니다. 일례로 서부지검에서 일어난 강현욱 검사의 일이 그러했으니 말입니다. 오히려 내부 고발을 한 이가 좌천을 당하는 경우까지 벌어졌으니 김필재 부장이 주저한 것도 당연했죠. 그래서 판을 키웠습니다. 전 국민 앞에서 쓰레기로 낙인찍히신 기분이 어떠십니까?"

형사3부에서 제아무리 증거를 수집했다고 한들 어떻게든 빠져나갈 수 있다고 검사장은 자신했다. 제깟 것들이 몇 달 동안 모은 자료들을 아무리 사법부에 들이민다고 한들 영장은 기각될 게 뻔했기 때문이다.

　한데, 이 정도 방대한 증거를 모았다는 사실에 온몸이 사시나무처럼 떨려왔다. 대남은 그런 검사장을 내려다보며 경고했다.

　"이제 24시간 남았습니다. 조민관 씨."

　"내 살다 살다 검사장한테 그렇게 막말하는 검사 시보는 처음 봤다."

　뒤늦게 조서실로 따라온 강 검사가 조서실 맞은편 방에서 대남과 검사장이 나누는 이야기를 듣고서는 기가 질린다는 듯 입을 벌렸다.

　대남은 여러모로 특이한 케이스였다. 제아무리 정의에 불타는 검사 시보라고 할지라도, 이 정도 일을 벌였으면 두려워하는 기색이 있어야 하는데 오히려 여유로웠다.

　"차장과 부장검사님이 우리 편이 되기는 했지만, 동부지검 말단 직원들까지 지금 상황이 어떻게 될지 몰라 조마조마한 심정으로 다들 기다리고 있던데 말이야. 넌 겁이 없는 건지 아니면 성미가 원래 여유로운 건지."

검사장 사건은 이제 전 국민이 알게 되었다. 그만큼 파급력이 엄청났으며 검사장에게 향후 어떠한 판결이 내려지느냐에 따라 관계자들의 미래가 결정되는 것이나 다름없었다.

"강 검사님은 어떻습니까."

"난 애초에서 서부지검에서 한바탕했을 때부터 진급은 고사했다."

"이번 일로 좌천당하실 수도 있으시지 않습니까. 검사장이 구속된다고 해도 끈질기게 항소를 할 테고, 그야말로 진흙탕 싸움이 되겠죠."

"그래도 네 덕분에 전 국민 앞에서 다 까발렸으니 사법부도 쉽사리 봐주기식 판결은 내리지 못할 거야. 이미 중앙지검에서도 조민관 검사장을 향해 엄벌을 내리자는 말이 나오고 있고 검사장이 공천을 받기로 되어 있던 정치권에서는 이미 자신들과는 상관없는 일이라며 발을 빼고 있으니 말이지."

세상사 새옹지마라는 말이 딱 어울렸다. 한순간에 동부지검의 최고 실권자에서 밑바닥으로 떨어지는 모습을 눈앞에서 직관했으니 말이다.

"웬만한 검사 시보들이었다면…… 아니, 평검사라고 해도 이번 일에는 동참하지 못했을 거다. 그만큼 리스크가 컸고, 자칫

했으면 전도유망한 미래가 그대로 진창에 빠져 버리는 결과가
나왔을 테니 말이야. 김대남 시보, 동부지검의 수장을 잡는 역
할이었는데 안 무서웠나."

강 검사의 물음에 대남이 지나쳐온 조서실을 바라보며 말했
다.

"범인 잡는 건데 뭐가 무섭습니까. 검사가."

동부지검 검사 시보로 임명받은 지 삼 개월이 흘렀다. 어느
새 시보 생활의 종착지가 보여 가는 이때, 시보들은 처음과 마
찬가지로 동기들끼리 함께 마지막 점심 식사를 나누고 있었다.

백반집에서 말없이 식사를 나누는 그들은 말은 안 했지만
다들 내심 대남을 어려워하고 있었다.

[검사 시보 김대남, 비리로 얼룩진 검사장을 잡아내다!!]

각종 언론사를 장식한 헤드라인은 동부지검 형사3부에서
김대남을 가리키고 있었다.

물론 검사장 조민관의 구속영장을 통과시키고 재판대에 세
우기까지 강현욱 검사를 비롯한 부장검사의 노력이 없지는 않

았다. 다만 사람들은 영웅을 좋아라 했고, 난세에 태어나는 젊은 영웅일수록 그 가치는 더욱 빛이 났다.

"대남 씨, 그동안 미안했어요."

사법연수원 동기 한혜진이었다. 그간 대남이 속한 형사3부 302실에서 벌어진 사건들의 연속은 동부지검에게 커다란 충격을 선사했다.

한때는 사법연수원의 천재로 불렸지만 어느새 이단아라 변모하며 동기들은 눈에 띄게 대남을 회피했다. 혹여나 자신들의 앞길까지 막힐까 봐서였다.

"뭐가 미안합니까?"

"그, 그게 여태까지 우리가 대남 씨를 외면했었잖아요. 동기가 그렇게 큰일을 치르고 있는데 저희는 입 싹 닫고 제 몸 사리기 바빴으니……."

"그래서 몸은 온전히 사리셨나요?"

대남의 물음에 한혜진은 입을 꾹 다물 수밖에 없었다. 저들이 생각해 보아도 자신들이 지난 시보 생활 동안 보여 왔던 행동은 이전과 괴리가 있었다.

"삼 개월 동안 다들 고생하셨습니다."

"……."

"이렇게 인사치레를 하면 되는 겁니까? 그러면 다들 마음이 편안해질까요?"

사법연수원에 있을 적에만 하더라도 어떻게 해서든 대남과 친해져 '붉은 펜' 김대남의 첨삭을 받기 위해 줄을 섰지 않는 가. 한데 대남이 점차 윗사람들의 눈 밖에 나는 짓을 하자 그 들마저도 외면해 버렸다.

　대남은 들었던 숟가락을 내려놓으며 말했다.

　"사법연수원 24기, 여기 있는 11명은 앞으로 검사 생활을 할 수도 혹은 다른 법조인의 길을 걸을지도 모릅니다. 전 당신들 이 절 회피했다고 해서 비난을 가하지도, 힐난을 할 생각도 없 습니다. 다만."

　대남은 검사 시보 동기들을 한 명 한 명 훑어보았다. 대부분 이 자신들의 행동을 반성하듯 얼굴이 붉어져 있었다.

　"외면하지 말아주십시오."

　법조계에서 살아가다 보면 숱한 선택을 강요받게 되어 있 다. 법과 권력, 그리고 비리는 항상 지척에 있으며 법조인들을 유혹한다.

　사법연수원을 수료하고 법조계로 발을 내딛는 법조인 중 얼 마나 그 손길을 뿌리치지 못할지는 정확히 알지 못한다. 하지만.

　"세상이 썩어가더라도, 우리는 양심을 지키고 살아야 하지 않겠습니까. 법조인이라면."

계장과 실무관의 얼굴에는 안타까움이 가득했다. 짧다면 짧고 길다면 긴 삼 개월의 시간 동안 동고동락하다시피 한 대남이 이제는 동부지검에서의 생활을 끝마칠 때가 다가왔기 때문이다.

여태껏 숱한 시보들을 만나왔지만 대남과 같은 인물은 처음이라 강 검사 또한 감회가 남달랐다.

"고생했다."

강 검사의 짧은 말 한마디는 그간의 노고를 격려하는 마음이 담겨 있었다. 그 뜻을 모르지 않는 대남이 입가에 미소를 지어 보였다.

대남은 강 검사의 책상을 화려하게 뒤덮은 파일들을 보며 아쉽다는 듯 말했다.

"저도 마지막까지 함께 했어야 하는데 아쉽습니다."

"여기까지 올 수 있었던 것도 다 네 덕분이지. 나 혼자였다면 쫓겨나기밖에 더했겠나."

"검사장의 구속영장을 통과시켰다고 해도 이제부터가 시작이지 않습니까. 길고 긴 싸움일 될 텐데요."

조민관 검사장에 대한 구속영장은 통과가 되었다. 재판대에 올리는 건 성공했으니 목표를 달성했다고도 볼 수 있지만, 실질적으로 그가 어떠한 형벌을 받게 될지 끝까지 지켜보며 견

제해야 했다.

강 검사는 대남의 어깨를 지그시 짚으며 말했다.

"아무리 길고 긴 싸움이라고 해도 포기하지 않으면 지지 않지. 이번 일로 동부지검의 많은 검사가 우리의 편을 들어줬어. 검사장…… 아니, 조민관은 더 이상 도망칠 구멍이 없을 거야. 대검에서도 내부감사 명령이 떨어졌으니 오히려 앞으로가 더 곤욕일 테지."

중앙지검에서 내부감사 명령이 실시되었다는 강 검사의 말에 대남은 속으로 쾌재를 불렀다.

동부지검 검사장에 관한 이야기는 한동안 언론에 계속해서 비쳐졌다. 대남과 마찬가지로 그 또한 다른 의미로 전국구 스타가 된 것이나 다름없었으며 대검찰청에서 칼을 뽑아 들었다는 것은 그의 공직 생활이 끝났다는 것을 암시했다.

"부장님 건강은 어떻습니까."

"아직까진 병원에서 요양 중이시지만 곧 있으면 현직으로 복귀하실 거다. 아무래도 지금 동부지검에 비어 있는 자리가 많아서 말이지."

"돌이켜보면 동부지검에서의 삼 개월은 제가 여태까지 생각해왔던 법조계의 모습과는 많은 차이가 있었습니다."

"왜? 생각보다 더러운 구석이 더 많았나."

대남은 검사 시보로 검찰에 오기 전부터 검찰에 관한 지론을 가지고 있었다. 대한민국의 검찰은 뿌리부터 부패했으며, 그 위로 자생해온 여러 갈래의 검찰청은 비리라는 양분을 머금고 더욱 거대해지고 있다고 말이다.

폭압적이었던 과거를 간접적으로나마 겪어온 대남으로선 어쩔 수 없이 느꼈던 단편적인 생각이었다.

하지만 동부지검에서의 삼 개월은 그 생각을 달라지게 만들었다.

"청렴하고 결백하며, 정의를 지키기 위해 나설 수 있는 법조인들이 많다는 것을 깨달았습니다."

마치 자신을 칭찬하는 듯한 대남의 말에 강 검사는 머쓱한지 콧잔등을 긁어 보였다.

마지막 시보 생활을 알리는 검사 시보를 향해 지도검사 강현욱이 손을 내밀었다. 두 사내의 손바닥이 마주하자 훗날을 기약하는 목소리가 들려왔다.

"김대남 시보, 다음엔 검찰에서 만나자. 그동안 고마웠다, 정말."

- 2장 -
법비(法匪)(2)

검사 시보가 끝나고 짧지만 삼 일간의 휴가가 주어졌다. 대남은 그 시간 동안 괜히 집 밖으로 걸음을 옮기지 않았다.

조민관 검사장에 관한 사건이 일단락되었기는 하지만 아직도 사람들의 입방아에서 내려올 생각을 하지 않았다. 괜히 황금양으로 간다고 한들, 직원들의 신경만 쓰게 할 뿐이다.

"'7가지 죄악'이라."

앞으로 황금양의 이름을 달고 배급 계획이 이루어질 두 번째 외화이다.

대남은 앞서 '7가지 죄악'이 어떠한 방식으로 흥행 몰이를 할 수 있는지 서면을 통해 마케팅 요령 등을 알려주었다.

현재 실질적인 경영자는 대남의 아버지였으니 경영 간의 트러블이 발생할 수는 없었다. 아버지는 자신의 아들을 철석같이 믿고 있었으니 말이다.

"확실히 배우풀이 부족하기는 한데……."

배우 라인에서도 좀 더 새로운 마스크를 충원하고 싶었지만, 충무로에 이렇다 할 원석이 보이지 않았다. 그렇다고 한사코 문을 두드리는 고지원처럼 연기는 뛰어나지만 인성이 덜된 배우들을 받기는 싫었다.

결산 실적을 받아 본 대남은 입가에 흡족한 미소를 지을 수가 있었다.

"황금양이 계속해서 커져 나가고 있군."

성공로만을 따라 걷는 사업의 연속이었기에, 황금양은 분명 작은 약진이었지만 문화·예술계로 점차 발을 넓히고 있었다.

이윽고 대남은 고개를 돌려 삼 일 뒤 배정받게 될 변호사 시보 생활을 할 법무법인의 이름을 눈여겨보았다.

"태강이라."

하필이면 법무법인 중에서도 금전과 관련해서만 움직인다는 물욕귀들이 모인 곳이 아닌가.

변호사의 윤리원칙에 위배되는 행위는 아니었지만 돈만 된다면야 악인들의 변론도 마다하지 않는다는 그들의 업무 강령은 법조계에서 유명했다.

대남은 이내 태강과 관련한 파일을 책상 한편으로 밀어 넣었다.

"휴식시간이 되겠군."

굳이 법무법인에 잘 보일 건덕지가 없었다. 컨펌을 바라는 것도 아니었거니와 변호사 시보 자체가 검찰 시보에 비해 수월하기로 소문난 시보 생활이었기 때문이다.

대부분이 선배 변호사들에게 업무 노하우를 배우거나, 남은 학기 시험공부를 하는 데 시간을 매진했다. 그러다 대남은 문득 자신의 이름 옆에 적힌 또 다른 시보 명단을 바라봤다.

"한혜진이라."

태강 법무법인으로 자신과 함께 배정된 시보였다. 예전 동부지검에 같이 시보 생활을 했기에 안면이 익었지만 별 대수롭지 않게 생각하는 대남이었다.

그녀가 변호사 시보를 하며 실수를 한다고 한들 상관없었다. 태강은 이미 대남의 마음속에서 벗어난 곳이었기에.

삼 일 뒤, 대남은 여의도에 위치한 태강 법무법인으로 향했다. 대한민국에서 내로라하는 법무법인답게 그 규모가 일반 법무법인과는 궤를 달리했다.

하나, 종로에 자리한 황금양과 비교할 바는 못 되었기에 대남에게 큰 감흥을 줄 수는 없었다.

"김, 김대남 씨!"

태강으로 들어서자 미리 도착해 있던 한혜진이 어색하게 손을 들어 보이며 반겼다.

대남은 아무렇지 않게 짧은 목례를 보이고는 곧장 로비로 걸음을 옮겼다. 한혜진은 머쓱한 표정을 지어 보이며 곧장 대남의 뒤를 따랐다.

"이번 변호사 시보를 맡으신 김대남 씨와 한혜진 씨 맞으시죠? 잠시만 기다려 주세요."

안내데스크에선 이미 대남과 혜진이 시보 생활을 한다는 사실을 전해 들은 듯했다.

아무래도 대남은 이전부터 언론을 통해 유명인사였으니 안내데스크를 비롯한 태강의 직원들이 흘깃흘깃 쳐다보는 것이 느껴졌다. 그에 한혜진은 어쩔 줄 몰라 하는 표정이었지만 대남은 평소에도 수십 번씩 겪는 상황이었기에 대수롭지 않아 보였다.

"반갑습니다. 태강 법무법인의 파트너직을 맡고 있는 김만재입니다. 어서 올라가시죠, 고문께서 기다리고 계십니다."

안내를 위해 내려온 사람은 다름 아닌 태강의 파트너 변호사였다.

대남은 임원급에 해당하는 그가 굳이 변호사 시보를 안내하기 위해 내려왔다는 사실에 놀라며 인사말을 나누었다.

그는 사람 좋은 미소를 지어 보이며 대남과 한혜진을 고문 변호사실로 안내했다. 가는 길목 내내 태강 변호사들의 따가운 시선이 느껴졌으나 아까 전과 마찬가지로 한혜진만 곤욕스러워했다.

"저는 여기까지, 금일은 고문 변호사님과 면담을 나누시면 됩니다. 저희 태강은 업무 첫날부터 빡빡하게 굴지 않으니까요. 그럼."

김만재 변호사는 끝까지 변호사 시보들을 향해 존대를 지켜주며 자리를 비웠다. 그 모습에 한혜진은 감동한 표정이지만 대남은 생각을 달리했다.

역시 대한민국의 금전과 관련된 업무라면 다 맡고 본다는 태강다웠다.

'낯선 호의는 사기꾼의 웃음과 같다.'

똑똑-

애먼 노크 소리가 채 끝나기도 전에 고문 변호사실의 문이 열렸다.

이미 소파에는 일찍이 대남을 기다리고 있던 인물이 앉아 있었다. 그는 자리에서 일어나지 않은 채 손짓만으로 대남과 한혜진을 자신의 맞은편에 앉히고 나서야 굳게 닫혀 있던 말문을 열었다.

"반갑네, 태강의 고문 김태호일세. 대남 군과는 구면이지?"

"예, 그렇습니다."

대남은 머릿속을 뒤적였다. 일찍이 한국대학교 재학 시절 나 교수의 지기라며 김태호 고문과 만난 적이 있었다. 하지만 썩 유쾌한 만남은 아니었던 것으로 기억한다.

대남의 표정에 변화가 없자 김태호가 씁쓸한 미소를 지어 보이며 되물었다.

"이번 동부지검에서 자네가 꽤나 큰 공을 세웠더군. 검사장을 잡아낸 검사 시보라, 영화에나 나올 법한 일이 아닌가. 이미 생방송 법률 프로그램을 통해 자네의 언변과 재능은 내 톡톡히 보았지. 될성부른 떡잎이 아니라, 이미 웬만한 검사들과 변호사는 찜 쪄 먹을 수준인 게야. 안 그런가."

"과찬이십니다. 언론을 통해 단편적으로 알려진 이야기보다 뒤에서 보이지 않게 움직였던 검사님들이 계십니다. 아시지 않습니까, 언론은 항상 자극적인 것만을 좋아한다는 사실을요."

"홀홀, 그건 나도 마찬가지야."

김태호는 웃음기 가득한 표정을 금세 지워내고는 대남을 향해 입을 열었다.

"자네에게 제안을 하고 싶군. 이미 검사 시보 생활을 통해 그 역량을 확실히 보여주었고 그동안 이뤄놓은 업적들을 생각하자면 법조계 생활이 아깝지 않은 인재이지. 등용문이 무슨 소용이겠나. 이미 자네는 대한민국이 낳은 건실한 용인데 말이야."

"……"

"만약 사법연수원을 수료하고 우리 태강으로 온다면 내 일 년 안에 파트너 직급을 약속하고 자네가 원래 하던 기업체를 겸업해서 경영해도 상관 안 하겠네. 더불어 태강에선 자네를 전관급으로 대우를 하겠다고 다짐하지. 어떤가, 이 정도 제안이면 쏠쏠하지 않은가."

"왜 제게 그런 제안을 하십니까."

"늙을수록 욕심이 많아져. 더욱이 눈앞에 이렇게 탐스러운 과실이 있는데 놓칠 수야 있겠는가."

어느새 한혜진은 두 사람 사이의 대화에 전혀 관여를 하지 못하고 있었다. 하지만 오가는 대화의 범주가 너무 거대해 쉽사리 끼어들 용기조차 나지 않았다. 오히려 자신이 이런 자리에 있어도 되나 싶어 엉덩이가 들썩거리기를 수차례였다.

한편으론 대남의 입에서 흘러나올 대답이 궁금하기도 했다. 한혜진의 귀에 김태호의 제안은 일확천금의 행운과 버금갈 정도였으니 말이다.

"김태호 고문님."

대남은 김태호 고문을 바라보며 나직이 뒷말을 이었다.

"욕심이 과하면, 체합니다."

김태호 고문의 눈꼬리가 묘하게 휘어졌다. 한혜진은 좌불안석의 모양으로 어쩔 줄 몰라 하며 두 사람의 눈치를 살필 뿐이다.

태강 법무법인은 대한민국 기업들의 부흥기와 함께 발맞춰 성장했다고 해도 과언이 아닐 정도로 거대한 규모를 자랑했다. 대남이 받은 제안은 수도권 지검 현직 부장 판·검사급은 돼야 받을 수 있는 조건이었다.

"과연 동부지검에서 검사장을 끌어내릴 만한 재목이야. 웬만한 검사들은 기자회견장에 나가면 벌벌 떨게 마련인데, 생중계를 통해 본 자네의 모습은 그야말로 장군의 기세더군. 마치 그 상황을 즐기고 있는 것처럼 보였네."

"그렇게 보였다면 그런 거겠지요."

"이거 봐, 괜히 겸양을 떨지 않아서 더 좋지. 겸손이 많아 봤자 제 얼굴에 먹칠하는 거나 다름없거든. 법조계에서는 더더욱 자신의 모습을 부각시키는 게 더 도움이 되지. 특히 변호사 업계에서는 자네 같은 캐릭터가 제일이야. 이 업계에서는 실력이 제일의 명함이니 말일세."

고문은 대남의 말에도 기분을 나빠하지 않았다. 도리어 입가에 가득 미소를 지어 보인 채 쏜살같이 말을 쏟아냈다.

"내 정신 좀 보게, 우리 한혜진 시보를 찬밥신세로 만들어버렸군."

고문이 사람 좋은 미소를 지어 보였다. 겉으로만 보자면 연륜이 가득 깃든 인자한 할아버지로밖에 보이지 않았다. 하지만 저 안에 얼마나 많은 능구렁이가 살고 있을지는 보지 않아도 알 수가 있었다.

"안녕하십니까, 사법연수원 24기 변호사 시보 한혜진입니다."

"그래. 보통 시보들은 이렇게 빠릿빠릿하면서 긴장을 해 있게 마련인데, 우리 김대남 시보는 전혀 긴장하는 기색이 없군. 아니면 긴장을 하고는 있지만 겉으로 내색을 하고 있지 않다든가."

"……."

대남이 말을 아끼자 고문이 머쓱한 표정을 지어 보이고는 곧장 앞으로 펼쳐질 변호사 시보 생활에 관해 간략히 알려주었다.

보통 고문 변호사가 직접 나서서 이렇게 시보들을 챙기는 경우는 없었지만 이번만큼은 경우가 달랐다.

"앞으로 변호사 시보 생활을 하는 짧은 기간 동안 자네들이 할 일은 2팀에 소속돼서 선배 변호사들이 하는 업무를 보고, 익히고, 새겨듣는 역할이야. 자네들도 알겠지만 변호사 시보 생활은 검찰에 비하면 아주 수월한 편이지. 아 참, 그리고 김대남 시보, 자네는 우리 변호사들이 아주 기다렸던 인물이야."

"왜입니까?"

"기억나지 않나, 자네가 법률 프로그램에서 상대했던 변호사의 소속이 어디였는지."

한혜진이 옆자리에서 입을 벌린 채 경악한 표정을 지어 보였다. 사법연수원 입소하기 전부터 대남이 유명했던 까닭은 언론에 자주 모습을 비쳐서였다.

개중 법률 프로그램에 등장해 유명 법무법인에 소속된 현역 변호사들을 언변으로 제압하는 모습은 법조인들에게 큰 충격을 주었다. 하지만 대남은 대수롭지 않게 입을 열었다.

"태강 소속의 변호사분이 있었던 걸로 기억합니다. 한데."

"……."

"법률 토론을 아주 못하시더라고요. 기억에는 그다지 남지 않군요."

"……!!"

대남의 여유작작한 태도와는 상반되게 한혜진의 얼굴에는 곤란한 기색이 역력했다. 하나 불같이 노성을 터뜨릴 거라 생각했던 고문은 예상외로 대남의 말에 동조를 표하듯 고개를 끄덕여 보였다.

"그 점은 나도 인정하지, 자네에 비하면 조족지혈이라고 해도 좋을 만큼 못난 모습만을 보여줬으니 말일세. 하지만 그곳은 방송국이었고 이곳은 변호사들의 홈그라운드인 법무법인이라는 사실을 기억하게나."

고문의 말이 끝나자 얼마 지나지 않아, 고문 변호사실로 대남과 한혜진을 인솔하기 위한 선임 변호사가 도착했다.

선임 변호사는 무테안경을 고쳐 잡아 보이고는 곧장 김태호 고문에게 고개를 깊숙이 숙여 보였다. 대남은 그의 얼굴을 보며 어딘가 낯익다는 생각을 하고 있었다. 그 순간, 고문이 대남을 향해 눈을 흘기며 말했다.

"자네와 구면일 테지, 법률 프로그램에서 자웅을 겨뤘던 사이가 아닌가."

"······!"

그제야 눈앞의 사내가 법률 프로그램에서 갑론을박을 벌였던 태강 소속의 변호사였다는 사실이 기억났다. 심드렁한 기색의 대남과 달리 한혜진은 지금 이 상황에 꽤나 놀란 듯했다.

그는 꽤 심기가 불편한 듯 굳은 표정으로 변호사 시보들을 향해 손을 내밀었다.

"반갑네, 자네들의 지도 변호사를 맡은 고지철일세."

대남과 한혜진은 고지철을 향해 짧게 인사했다. 물론 고지철은 김태호 고문이 눈앞에 있어서인지 두 사람을 변호사 시보로서 대했지만 손등 위로 굵게 튀어나온 힘줄과 부릅뜬 눈동자가 그가 얼마나 심기가 불편한지 나타내고 있었다.

불현듯 대남이 고문을 향해 물었다.

"한데, 파트너 직급이신 분이 저희 지도 변호사를 맡으시는 겁니까?"

"그럴 리가 있나."

"일전에 법률 프로그램에서 고지철 변호사님을 뵈었을 때는
분명 파트너를 달기 직전이었다고 기억하는데 말이죠."

대남의 말에 고문은 고개를 절레절레 저어 보였다.

고지철의 얼굴은 붉으락푸르락해져 활화산을 보는 듯했다.
겨우 화를 억누르는 것이 눈에 띄었다. 임원급인 파트너 변호
사직을 받기 위해 십수 년 동안 태강에 몸 바쳐 일했는데 한순
간에 밀려났으니 말이다.

하나 고문은 그런 고지철의 모습에도 개의치 않은 듯 말을
이었다.

"법률 프로그램에서 자네에게 완패를 당하지 않았나. 그 탓
에 태강의 임원들이 반발했지. 대외적인 이미지를 깎아놓은
변호사에게 파트너직을 줄 수 없다고 말일세. 결과적으로 보
자면 고지철 변호사의 승진이 자네 덕분에 몇 년 미뤄진 셈이
지."

"제가 태강 법무법인에 배정받은 게 괜히 여러 사람의 역린
을 건드리는 것 같아 마음이 좋지 않군요."

"왜, 이제 와서 고지철 변호사에게 미안한가? 토론장에서는
법조계 선배라고 한들 한 치의 망설임도 없이 갑론을박을 벌
였는데 말이야."

대남은 고문의 말에 고개를 돌려 고지철 변호사를 한번 바라봤다. 일전의 기억에서처럼 고지철은 자신의 화를 제대로 삭이지 못하고 있었다.

아무래도 고문의 입장에선 고지철이 변호사 시보 기간 동안 대남을 눌러 자신감을 회복하기를 바란 모양인데, 과거의 기억에 얽매여 있는 저 모습은 법률 토론을 할 당시와 별반 차이가 없어 보였다.

"미안할 이유가 있나요. 고문께서도 말하지 않았습니까, 법률업계에서는 실력이 명함이라고 말입니다."

"……!!"

한혜진의 얼굴은 새파랗게 질려 들어갔고, 고지철은 더 이상 못 참겠는지 자리에서 벌떡 일어났다.

그 모습에 고문이 크게 웃음을 터뜨렸다. 그 탓에 고지철은 다시 제자리로 앉을 수밖에 없었다.

"역시 호랑이 새끼야. 괜히 대한민국이 조명하는 젊은이가 아니구만. 말로만 하는 허장성세가 아닌 그만한 실력과 재능이 뒷받침해 주니 누가 자네에게 뭐라 손가락질할 수 있겠나. 앞으로 변호사 시보 생활을 태강에서 잘 보내주게니."

"그러도록 하죠."

대남의 말이 끝나자 한혜진은 온몸에서 기가 빠져나가는 듯한 기분이 들었다.

첫날부터 파란만장한 시보 생활을 기약하듯 고문 변호사실에선 불꽃 튀는 신경전이 벌어지고 있었다.

태강 법무법인에서의 변호사 시보 생활은 그리 만만하지 않았다. 대남과 한혜진의 담당으로 배정된 지도 변호사 고지철은 꽤나 깐깐한 성미였는데 웬만한 잡무를 비롯해서 시보가 맡기에는 벅찬 업무들까지 대남에게 떠맡기는 것이 눈에 보였다.

"그렇게 고문님 앞에서 큰소리를 쳤으니, 이 정도는 자신 있겠지."

법무법인 2팀 변호사들은 고지철의 꼬장에도 아무 말을 꺼내지 않았다. 오히려 대남을 흘겨보며 그들조차도 꺼려하는 것이 느껴졌다.

언론에서는 대남을 가리켜 법조계에 새로이 뜨는 혜성이라 지칭했지만, 태강 내에서 대남의 입지는 역적이나 다름없었다. 법률 방송에서 공적으로 태강을 망신살 뻗치게 하지 않았는가.

"도와줄까요……?"

한혜진이 작은 목소리로 물었다. 저도 맡은 업무가 있었지만 대남에 비할 바는 못 되었다. 하지만 대남은 개의치 않는 듯 고개를 저어 보였다.

대남의 호기로운 모습에 고지철은 조소를 지어 보일 뿐이다. 하지만 얼마나 시간이 지났을까, 대남이 자리에서 일어났다.

"다 했습니다."

"……뭐? 벌써……? 한혜진 시보가 도와준 거 아니야?"

"확인해 보십쇼."

한혜진은 대남보다 업무량이 적었지만 그마저도 제시간에 끝내는 것을 버거워했다.

처음에는 못 믿어 하던 고지철도 한 주가 흐를 동안 대남이 한 치의 흐트러짐 없이 상당량의 일 처리를 완벽히 끝내자 혀를 내둘렀다.

"이 사람도 태강에서 변론을 맡습니까?"

대남의 물음에 고지철이 무테안경 너머로 눈을 게슴츠레 떴다. 대남이 들고 온 것은 의뢰인 파일이었다.

목차별로 정리하라고 시킨 지 얼마 되지도 않았는데, 이미 일을 끝내고 자신에게로 들고 온 것이다.

"왜 맡으면 안 되나, 그분도 명백한 의뢰인인데."

고지철이 의자에 몸을 깊숙이 기대며 팔짱을 꼈다. 그 모습에 대남이 천천히 고개를 끄덕이며 말했다.

"대한민국의 중심을 일컬어 한강이라고들 말합니다. 그럼, 대한민국의 오수가 모여드는 곳은 어디일까 곰곰이 생각해 보았는데."

대남은 의뢰인 파일을 고지철의 책상 위에 소리 나게 올려 놓으며 말을 이었다.

"태강이군요."

대남이 말을 끝마치고 곧장 뒤돌아섰지만, 고지철은 가만히 앉아 있었다. 그도 대남이 이토록 화를 내는 이유를 모르지 않았다.

각종 언론을 뒤덮은 불우한 사건·사고는 많지만 태강은 그러한 부류의 사건들은 맡지 않는다.

고지철이 알 수 없는 미소를 띠어 보이며 의뢰인 파일을 집어 들었다.

변호사의 윤리 원칙에 위배된 행위도 아니었거니와 남들에게 질타를 받을지언정 분명 돈이 되었다.

그곳에는 요즘 세간을 시끄럽게 만든 의뢰인의 이름 석 자가 쓰여 있었다.

조민관.

"대남 씨는 왜 태강 소속 변호사들하고 친하게 지내려 들지 않아요?"

"친해져야 할 이유가 있습니까."

"그렇게 딱딱하게 구니까, 점심시간에도 혼자 아니에요."

"한혜진 씨 앞에 있잖습니까."

보통 지도 변호사와 함께 점심을 먹으며 여러 가지 법률업계의 전반적인 조언을 듣는 것이 변호사 시보의 큰 덕목 중 하나로 치부되었는데, 대남에게는 그런 일이 없었다.

더불어 한혜진도 마찬가지였다. 하나 한혜진은 이 기회가 오히려 나쁘지 않다고 생각했다.

웬만한 선배 변호사들과 인맥을 쌓는 것보단 눈앞에 김대남과 인맥을 쌓는 것이 추후 법조계에 몸담아 살아감에 도움이 될 것이라는 것을 직감적으로 알았기 때문이다.

"태강 소속 변호사들, 밖에서 들리는 소문에는 막 금전에 환장한 이들인 줄 알았는데 막상 와보니까 아니던데요. 이따금 무료 법률 상담도 하잖아요. 소외 계층을 대상으로."

"대외적인 이미지를 위해 이따금 착한 일을 한다고 쳐도, 여태까지 했던 일들이 가려진답니까. 한혜진 씨가 보기에 태강은 어떤 곳입니까?"

"대한민국에서 가장 내로라하는 법무법인이고, 앞으로도 법조계에 막강한 영향력을 선사할 곳이잖아요. 웬만한 전관급들은 다 이곳으로 오기를 원하고, 사법연수원 차수석이 아닌 이상에야 태강에 발붙이기 힘들겠죠."

한혜진의 말마따나 태강은 법조계 인사들에게 대기업으로 평가받는 곳이었다.

돈이 돈을 부른다는 말처럼, 금전과 관련한 법률 분쟁은 가리지 않는 태강이었기에 그들이 벌이는 실수는 금전의 산에 가려 보이지 않았다.

"대남 씨는 어떻게 생각하는데요, 태강을?"

대남은 자리에서 일어나며 단 두 글자로 태강을 정의했다.

"법비(法匪)."

"법비요……?"

대남의 말에 한혜진은 주위를 두리번거릴 수밖에 없었다. 다행히 식당가에는 대남과 자신을 제외하고는 태강 출신의 변호사들은 보이지 않았다.

그제야 안도의 한숨을 내뱉은 한혜진이 곧장 자리에서 일어나 대남의 뒤를 천천히 쫓았다.

"법률을 이용해 비적질을 일삼는 자들을 일컫는 속어잖아요. 정말 대남 씨는 태강이 그렇다고 생각해요?"

"시대가 달라졌습니다. 노동자의 인권 신장을 외치기보다, 민주주의를 부르짖는 것보다, 기업들과 권력가들의 편에 서는 것이 더 도움이 되는 것이 법조인들의 생태입니다. 어쩔 수 없는 유착 관계니까요. 애초에."

"애초에……?"

대남은 검지를 들어 눈앞의 태강 법무법인 건물을 가리켰다. 다른 사옥들에 비해 과하다 싶을 정도로 큰 규모를 자랑했다. 대한민국의 법무법인 중 가장 선두를 달리고 있다는 말이 괜히 나오는 것이 아니다.

"저렇게 큰 건물을 유지할 수 있는 비결이 뭐겠습니까."

"……돈 아닐까요?"

"법조인이 돈을 가까이하면 타락하는 것은 기정사실입니다. 그리고 태강은 이미 저들의 타락을 자본이라는 거대한 물질로 가리고 있는 것이나 마찬가지고요. 이번 조민관 검사장의 항소도 태강에서 직접 맡는다고 하더군요."

"네!?"

대남은 그 말만을 남긴 채 다시 태강 건물 안으로 발걸음을 옮겼다.

한혜진은 제자리에서 멍하니 서 있을 뿐이었다. 전국적으로 조민관 검사장의 악행은 널리 퍼져 있는 상태였는데 제아무리 돈이 된다고 태강에서 맡았을까, 고개를 세차게 흔들며 현실을 부정했다. 하지만 그 부정이 깨어지는 것에는 오 분이 채 걸리지 않았다.

대남의 말처럼 2팀 소속 변호사들은 조민관 검사장의 항소 준비로 눈코 뜰 새 없이 바빴다. 검찰 역사상 전무후무한 검사장의 연쇄살인 사건을 변론하는 일이라 그들은 그 어느 때보다도 진땀을 흘리고 있었다.

"아이러니하네요. 정말……"

한혜진이 그 광경을 보다 못해 대남을 향해 작은 목소리로 말했다.

불과 보름 전만 하더라도 동부지검에서 검사장과 관련한 사건을 맡았던 대남이었다. 한데 변호사 시보를 맡게 된 지금은 눈앞에서 검사장을 변론하는 이들을 보고 있지 않은가.

"김대남 시보, 시간이 아주 많은가 봐. 누구는 점심 식사도 못하고 이렇게 일하고 있는데 누구는 식사도 끝마치고 아주 여유 만만한 태도야."

"맡은 일은 이미 다 끝냈습니다."

"뭐?"

"조민관 검사장의 일은 저희가 맡을 일이 아닌 것 같아서 말이죠."

대남의 말에 고지철 변호사의 얼굴이 붉어졌다. 2팀 소속의 변호사들은 대남의 말에 짐짓 화가 난 표정이었지만 섣불리 화를 낼 수는 없었다.

전국적으로 각종 언론을 장식했던 조민관 검사장에 관한 사건을 맡게 되었으니, 어떻게 보면 남들의 질타를 받는 것이 당연했다.

"네가 언제까지 그렇게 콧대가 높을지는 모르겠는데 말이야, 이곳도 엄연한 사회다. 변호사인 우리는 피고인의 신분과 사건을 따지지 않고 변론해 줘야 할 의무가 있어."

"언론의 발표는 그리 오랜 시간이 걸리지 않을 겁니다. 태강이 조민관의 변론을 맡았다는 것이 언론을 통해 공개적으로 알려지면 집에 가서 가족들 얼굴은 볼 수 있겠습니까?"

"······!"

대남의 말에 한혜진이 놀라 입을 벌렸다. 사법연수원 시절부터 언행에 거침이 없음을 알고 있었지만 검찰 시보 생활을 지나 변호사 시보 생활을 함께 겪다 보니 자신이 여태껏 봐온 대남의 모습은 빙산의 일각이었다는 것을 깨달았다. 본인이라면 이토록 많은 선배 변호사들 앞에서 저런 말은 죽어도 꺼내지 못했을 것이다.

고지철이 눈을 부릅뜨며 대남을 향해 말했다.

"여기 있는 2팀 소속의 변호사들은 전부 너보다 오랫동안 법조계에 몸담았던 이들이다. 그런데 네가 지금 그렇게 말하는 것은 이들의 법조계 인생을 부정하는 것밖에 되지 않아. 이제 기껏해야 사법연수원 2년 차에 접어든 네놈이 자질적으로 우리보다 뛰어나다고 생각해서 그런 망발을 지껄이는 건가!"

"뛰어나지 않았습니까."

"뭐!"

"잊으셨습니까, 법률 토론에서 저에게 말 한마디 제대로 못 하시던 그 모습을 말입니다. 당시에는 태강이 어디 동네 구멍가게라도 되는 줄 알았습니다. 그러지 않고서야 이렇게 법률 지식이 딸리는 변호사가 세상천지에 있을까 싶었죠."

"……!!"

고지철이 이맛살을 거세게 찌푸리며 대남을 향해 노려봤다. 일촉즉발의 상황 속에서 2팀 소속 변호사들은 발만 동동 굴리며 대남과 고지철을 번갈아 바라볼 뿐이었다.

그 순간, 2팀의 전화기가 울리며 한혜진이 곧장 수화기를 받아 들었다. 수화기 너머로 들려오는 목소리에 한혜진이 긴장한 채 대남을 향해 말을 전했다.

"……저, 김대남 시보, 지금 김태호 고문 변호사님께서 찾으십니다."

살얼음판 속, 대남은 고지철을 향해 짧게 묵례를 하고는 곧장 2팀의 문을 열고 밖으로 걸어 나갔다.

마치 태풍이 휩쓸고 지나간 듯 고요한 정적만이 오가는 2팀에서 고지철이 후배 변호사들을 향해 화풀이하듯 눈을 부라리며 일을 재촉했다.

똑똑-

노크 소리와 함께 문이 열렸다. 일전과 마찬가지로 김태호 고문 변호사가 소파에 몸을 기댄 채 앉아 있었다. 그의 손짓에 대남은 자연스럽게 맞은편 소파에 몸을 앉혔다.

그러자 김태호가 몸을 앞당기며 입을 열었다.

"우리가 조민관 검사장 변론을 맡았다는 것을 알고 있나. 그것도 자네가 속해 있는 2팀에서 맡았지."

"알고 있습니다. 고지철 변호사가 열심히 준비를 하더군요."

"공교롭게 되었지. 하지만 자네라면 이해하리라고 믿네. 법무법인도 어떻게 보면 사업의 일환이 아니겠는가. 검사장이 천하의 몹쓸 놈인 것은 맞지만 우리에겐 그저 의뢰인일세."

고문의 입가에 진한 미소가 가득했다. 저들의 입장을 이해해달라는 말을 고문 변호사가 변호사 시보에게 하는 것 자체가 말도 되지 않는 상황이었지만 대남은 개의치 않았다.

오히려 대남이 고문을 향해 되물었다.

"그 말씀을 하시려고 저를 부르신 겁니까?"

"아니지. 일전에 내가 했던 제안에 대해서는 아직도 그대로인가?"

"말하지 않았습니까. 욕심이 과하시면 체한다고 말이죠."

"허."

김태호 고문은 대남의 대범함에 손뼉을 쳐주고 싶었다. 과연 그 누가 자신 앞에서 저토록 당당하게 의견을 피력할 수 있을까. 태강 법무법인 내의 난다 긴다 하는 변호사들도 저 앞에서는 고양이 앞에 쥐처럼 기가 죽게 마련이었는데 말이다.

"자네는 정의가 무엇이라 생각하나. 해방 이후 대한민국은 몸살을 겪으며 성장해왔어. 겉으로 보면 눈부신 성장의 발전이었지. 한강의 기적이라고 표현해도 좋을 만큼."

고문은 잠깐 말을 멈추고는 대남을 직시했다.

"법조계에 오랫동안 몸을 담고 있다 보면 단 한 가지 사실을 깨달을 수 있지. 대한민국을 움직이는 것은 빛이 아닌 어둠일세. 조민관 검사장 한 명을 잡아넣는다고 해서 대한민국이 정의로워질 것 같은가?"

"정말 그렇게 생각하십니까."

"암 그렇고말고."

고문의 말에 대남이 고개를 절레절레 저어 보이며 말했다.

"눈부신 성장의 뒷면에는 수많은 사람들의 숭고한 희생이 있었습니다. 민주화운동을 비롯해서 이 나라가 이 땅에 제대로 서기까지 얼마나 많은 사람이 죽어 나갔습니까. 어둠이 대한민국을 움직이는 게 아니라, 좀먹고 있는 것이겠지요."

"못 당해내겠군. 의지가 너무 단단해서 꺾일 생각을 하지 않아. 하지만 기억하게, 두꺼운 대나무는 언젠가 부러지게 마련이라는 것을 말일세."

"고문님이 살아생전에 그런 일은 없을 겁니다."

대남의 호기로운 발언에 김태호 고문은 미간을 거세게 찌푸렸다.

만약 대남이 어떤 인물인지 모르는 상태에서 만났더라면 그의 태도를 오만방자하다고 평가할 수 있었겠지만, 그가 여태까지 해온 행보를 보았을 때 충분히 납득할 수 있을 만한 광오한 발언이었다.

김태호는 눈을 지그시 감으며 말했다.

"대외적으로 조민관 검사장에 관한 항소심 변론을 태강에서 맡게 되었다는 것이 오늘 알려질 걸세. 기자들이 사옥 앞에 장사진을 이루겠지. 그들의 눈에는 자네가 특종처럼 보일 테니 이왕이면 조용히 빠져나가길 바라겠네."

혹여나 있을지 모를 돌발 행동을 미연에 방지하고자 김태호는 대남을 불러들인 것이었다.

기자들의 눈에 지금 태강은 물고 뜯기 좋은 먹잇감이었으며 대남은 그런 폭풍의 한가운데 떨어진 특종거리나 다름없었으니 말이다.

대남은 짧은 말만을 남긴 채 자리에서 먼저 일어나 보였다.

"알겠습니다."

퇴근 시간에 다다르자, 태강 법무법인 앞으로 기자들이 줄지어 인산인해를 이루었다.

아무래도 조민관 검사장을 태강이 변론한다는 사실이 밖으로 유출된 듯싶었다. 2팀 변호사들은 창밖으로 보이는 기자들의 행렬에 한숨을 내리쉴 뿐이다.

한혜진은 대남을 향해 작은 목소리로 물었다.

"대남 씨, 어떻게 할 거예요?"

"뭘 말입니까."

"기자들이 저렇게 모여 있는데 정문으로 빠져나가다가는 옴짝달싹도 못 할 텐데…… 아무리 대남 씨 뜻대로 한 게 아니라고 하지만 곧장 동부지검에서 태강으로 옮겨 나갔다는 것 자체를 오해하는 사람들도 있을 수 있고요."

한혜진은 이만저만 걱정되는 게 아닌 듯싶었다. 아무래도 동부지검에서의 검사장을 수사한 지 얼마 되지 않았는데 대남과 본인이 떡하니 태강 법무법인에서 시보 생활을 펼치고 있으니 말이다.

우연의 연속이었지만, 겉으로 보았을 때 구설수가 나오지 말라는 법은 없었다. 하지만 대남은 아무렇지 않은 표정으로 말했다.

"우리는 잘못한 게 없습니다. 숨어야 할 사람들은 따로 있겠죠."

"……!"

2팀 소속 변호사들이 대남의 말에 눈을 부릅떴지만, 누구 하나 대남을 향해 뭐라 할 수 있는 사람은 없었다.

태강 법무법인 정문에는 수많은 기자가 대기하고 있었다. 조민관 검사장에 관한 항소심 변론을 맡게 된 태강 소속 변호사들을 취재하기 위해서였다.

대한민국에서 내로라하는 법무법인이었지만 남들에게 조롱거리와 손가락질받을 것을 예상해서인지 변호사들은 기자들을 회피하기 일쑤였다.

대부분이 묵묵부답으로 그들을 스쳐 지나갈 때 누군가가 정문에서 걸어 나오는 인영을 발견하고는 소리쳤다.

"김, 김대남 씨……!"

일찍이 동부지검 기자회견장에서 기자들에게 눈도장을 확실하게 찍었던 대남의 출현이었다.

기자들이 달려들자 한혜진은 저절로 멀찍이 떨어질 수밖에 없었다.

동부지검 기자회견장에서 드라마와 같은 역사를 써내려가

지 않았는가, 기자들은 눈에 불을 켜며 대남에게 질문을 쏟아 냈다.

"태강 법무법인 측에서 조민관 검사장 변론을 맡게 되었는데 어떻게 생각하시나요!"

"들리는 소문에는 김대남 시보가 속한 법무법인 2팀에서 조민관 검사장의 변론을 준비한다고 들었는데 진짜입니까!"

"동부지검에서는 조민관 검사장을 잡아내는 것에 혁혁한 공을 세우셨습니다. 한데 변호사 시보로 발령받은 곳이 태강입니다. 지금 심정이 어떻습니까!"

기자들의 날 선 질문에 대남은 주위를 둘러보았다. 이미 수많은 기자가 자신의 답변을 기다리며 수첩을 쥔 손에 힘을 주고 있었다.

저 멀리 2팀 소속의 변호사들과 고지철이 보였다. 대남은 짐짓 뜸을 들이고는 굳게 닫혀 있던 말문을 열었다.

"이번 태강 법무법인이 조민관 검사장과 관련해 변론을 맡은 사실은 제가 아는 바가 없어 길게 말씀은 못 드리겠습니다. 다만."

기자들이 침을 삼키며 대남의 말에 귀를 기울였다. 주변을 지나던 태강 소속의 변호사들마저도 자리에 멈춰선 채 대남의 목소리에 집중했다.

이윽고 대남이 기자들을 향해, 그리고 주변을 지나던 태강 소속의 변호사들을 향해 말했다.

"유전무죄 무전유죄, 탈옥수 지강헌이 했던 말입니다."

대남은 뒤돌아서, 태강의 건물을 바라보며 말을 이었다.

"태강에 이보다 더 어울리는 말이 있을까요."

유전무죄 무전유죄(有錢無罪 無錢有罪).

"······!!"

기자들의 얼굴에는 놀라움이 스쳐 지나가고 있었다. 그에 반면 태강 법무법인을 지나던 소속 변호사들의 얼굴은 새하얗게 질려 들어갔다.

특히나 2팀 소속의 변호사들은 눈을 부릅뜨고 그 이야기를 들었고, 고지철은 홍시처럼 붉어진 얼굴로 거센 콧김을 연신 내쉬었다.

하지만 거기서 끝이 아니었다.

"태강은 대한민국의 법무법인 업계 중 최고라고 알려져 있는데, 김대남 씨 또한 그렇게 생각하시나요?"

어느 기자의 질문이었다. 대한민국의 제일가는 법무법인이 눈앞에 있었다. 법학도들에게는 꿈의 회사였으며, 법조계에 몸을 담고 있는 자라면 누구나 탐을 내는 대형 로펌이었다. 속된 말로 웬만한 검찰 요직보다, 태강 법무법인의 팀장급 변호사가 수완이 더 좋다고 하지 않는가.

대남은 기자의 물음에 고개를 짧게 끄덕이며 말했다.

"태강은 분명 대한민국의 법무법인 중 금전에 관해서 만큼은 제일의 로펌이라고 불리어도 손색이 없지요. 다만 돈이 많다고 해서 최고라고 불릴 수는 없습니다. 변호사이기 이전에 한 사람으로서, 도덕성이 결여되어 있다고 평가받고 있는 태강의 행태는 안하무인이나 다름없습니다."

"……!"

"법률저널을 비롯한 시사부 기자님들께서는 태강 법무법인을 가장 가까이서 지켜봐온 이들이십니다. 본인들이 생각하시기에 태강은 과연 최고의 로펌일까요, 아니면 금전에 양심을 팔아버린 낙후한 기업일까요?"

대남의 물음에 기자들은 벙어리가 된 것처럼 말을 잇지 못했다. 과연 태강 법무법인 앞에서 이토록 거침없이 말을 할 수 있는 사람이 대한민국에 몇이나 될까.

태강 소속의 변호사들은 가던 발걸음을 멈춘 채 경악의 표정으로 대남을 노려보고 있었다. 그 순간, 대남이 고개를 돌려 2팀의 변호사들을 바라보며 입을 열었다.

한혜진은 그 모습에 두 눈을 질끈 감았다.

"그리고 부끄러운 게 없다면, 태강 소속의 변호사들께서 이토록 취재에 응하지 못할 이유도 없었겠죠. 안 그렇습니까, 선배님들."

"……!!!"

경악의 연속이었다. 2팀 소속의 변호사들뿐만 아니라 지척에 있던 다른 태강의 변호사들마저도 얼굴을 붉히며 황급히 자리를 떴다. 눈을 부라리고 있던 그 모습들마저도 기자들의 카메라에 찍힐까 염려하는 기색이 얼굴에 역력했다.

기자들은 대남의 그러한 모습에 감탄을 터뜨리며 되물었다.

"김대남 씨는 이번 사법연수원을 수료한 뒤 검사직을 희망하고 있다고 들었습니다. 그 이유에 대해 얘기해 주실 수 있으십니까?"

"일전에도 말했다시피, 저는 사법연수원 입소 전까지만 해도 문화·예술업계의 종사자였습니다. 아무래도 그쪽 일을 하다 보니 치외법권이라고 표현해도 좋을 만큼 위법을 저지르는 이들이 많다는 것을 자연히 알게 되었죠. 그런데, 법조계 또한 별반 다르지 않더군요. 오히려 더 영악하지요."

"영악하다니요?"

기자들은 대남의 입에서 어떤 말이 흘러나올지 귀를 기울였다.

한혜진은 거듭되는 폭탄 발언에 새하얗게 질린 얼굴로 쳐다보며 어쩔 줄 몰라 했고, 다른 변호사들은 급히 자리를 회피했다. 고지철만이 자리에서 우뚝 선 채 대남을 노려보고 있었다.

대남은 그런 복합적인 시선을 받아내며 말했다.

"법률은 인간이 제정하는 것이기에 오류가 있을 수밖에 없습니다. 하나, 법학을 연구하고 수학했던 법조인들은 달라야지요. 그러한 법의 허점을 이용해 미꾸라지처럼 빠져나가거나 저들의 실리와 잇속을 채우는 데 사용하고 있다니요. 물론 모든 법조인이 그렇다는 것은 아닙니다. 다만, 분명한 것은 그러한 이들이 존재한다는 사실입니다."

"김대남 씨, 그렇다면 법조인으로서 작금의 현 상황을 타파하기 위해 어떻게 해야 한다고 생각하십니까?"

"기자님들, 법의 허점을 이용해 저들의 물욕을 채우기에 바쁜 집단이라면 제아무리 법조인의 직함을 달고 있다고 한들, 범죄자 집단과 하등 다를 바가 무엇이겠습니까."

이어지는 뒷말에 기자들은 소스라치게 놀랄 수밖에 없었다.

"법의 심판대 위에 세워야겠지요."

[김대남 시보, 태강 법무법인을 향해 일갈!]
[무전유죄 유전무죄, 태강 법무법인의 뒷모습.]
[태강은 과연 법조인 집단인가, 범죄자 집단인가?]

자극적인 기사들의 향연이었다. 지난밤 대남의 취재는 그야말로 기자들에게 천하에 둘도 없는 특종을 던져준 것이나 다름없었고 다음 날 조간신문을 시작으로 뉴스 곳곳 헤드라인을 장식하기에 이르렀다.

김태호 고문은 신문을 보다 말고 손아귀에 힘을 주어 신경질적으로 구겼다.

"고지철 변호사."

"네, 넵!"

"고지철 변호사가 김대남이를 컨트롤 했어야지요. 일전에 법률 토론에 나가 그렇게 망신살을 당하고도 아직도 시보 한 명 제대로 관리하지 못한다는 게 말이 됩니까! 일개 시보가 수많은 기자 앞에서 우리 태강을 난도질했습니다. 지도 변호사라는 당신은 도대체 뭘 한 거야!"

김태호 고문의 노성에 고지철은 진땀을 흘리며 안절부절못했다. 대남이 기자들과 만나는 것 자체를 원천봉쇄하는 게 옳았으나, 언행에 거침이 없고 태풍과도 같은 대남을 고지철이 막을 수 있는 방도는 없었다.

고문도 그 사실을 모르지 않는지 이맛살을 찌푸리며 더 이상 고지철을 문책하지는 않았다.

"더 이상 김대남이 기자들과 접촉하지 못하게 만들게나. 조민관 검사장을 변론하는 것만으로도 여론에 채찍질을 당하고 있는데 김대남 그놈이 기름을 끼얹은 것이나 다름없으니, 이대로 가다가는 자네 자리도 온전히 보존하기 힘들게야. 그래도 십수 년 동안 태강을 위해 일했는데 파트너도 달지 못하고 나간다는 게 말이 되겠는가."

"······명심하겠습니다."

고문의 은근한 압박에 고지철은 등 뒤로 식은땀이 흐르는 것을 느꼈다.

사실 김대남이 저들의 법무법인으로 시보 배정이 되었다는 것을 알았을 때는 칼을 갈며 기뻐했다. 본인의 밑으로만 온다면 스트레스와 과로로 병원에 실려 보낼 거라 다짐했었다.

한데, 오히려 자신이 스트레스로 응급실에 실려 가게 생겼으며 자칫하다가는 직장마저 잘릴 지경에 이르렀다. 손바닥에 홍수가 난 듯 땀이 절로 흘러내렸다.

"뭐 합니까, 어서 나가서 김대남 입단속 시켜야지!"

"네, 넵!"

고문의 호령에 고지철이 곧장 자리에서 일어나 넙죽 고개를 숙였다. 고지철이 고문 변호사실을 빠져나오며 이를 갈았다.

"김대남, 너 이 시보 새끼."

고지철이 2팀 변호사실에 도착했을 무렵, 대남은 유유자적

하게 현 상태를 즐기고 있었다.

대한민국의 수많은 언론사가 태강 법무법인을 저격했다. 태강에 비상이 걸리는 것은 당연지사였다.

"김대남 시보 빼고 다들 나가게."

애써 화를 삭이며 말하는 고지철의 목소리에 한혜진을 비롯한 2팀 변호사들이 자리에서 벌떡 일어났다.

흉포해진 야수의 얼굴을 한 고지철을 앞에 두고도 대남의 표정에는 변화가 없었다. 그 모습에 고지철이 윽박을 내질렀다.

"너 이 자식, 기자들 앞에서 도대체 그게 무슨 짓이야! 잘났다 잘났다 언론에서 치켜세워 주니 선배들이 다 같잖아 보이냐?"

"같잖아 보일 리가 있겠습니까, 하늘 같은 선배님들인데 말입니다."

"그럼 어제 그 말은 뭔가, 무전유죄 유전무죄? 탈옥수 지강헌이 했던 말을 고스란히 우리 태강에게 하는 저의가 뭐냔 말이야! 네놈 하나 때문에 멀쩡했던 회사 이미지에 큰 타격을 입었어. 이 책임을 어떻게 질 텐가!"

고지철은 변호사 시보인 대남을 몰아붙였다. 자칫 했다가는 주먹다짐으로까지 번질 수 있는 상황이었지만 대남은 오히려 고지철을 향해 한 발자국 다가갔다. 그러자 고지철이 저도 모르게 놀라 뒷걸음질 쳤다.

"책임을 져야 하는 건 태강 아닙니까."

"……뭐?"

"조민관 검사장으로 인해 수많은 사람이 피해를 봤고, 무려 두 사람이 잔인하게 살해를 당하는 결과를 냈습니다. 한데 이러한 상황 속에서 돈이 된다고 해서 조민관을 변론하는 태강의 태도는 사회적으로 책임을 져야 할 행위 아닌가요."

고지철은 잠시 주춤거리는가 싶더니 이내 쏜살같이 말을 쏟아냈다.

"사회적 책임은 무슨, 변호사로서 당연히 해야 할 행동을 할 뿐이야. 자네는 어려서 잘 모르겠지만 이번 조민관 검사장과 관련한 사건은 얼마 가지 않아 사람들의 인식에서 사라지고 마무리될 걸세. 그리고 검사장은 살인을 저지르지 않았어."

"조민관은 분명 살인을 저질렀습니다. 이제는 범법자의 비리마저도 감춰주는 변호사가 되신 겁니까?"

"큼, 검사장은 아직까지 살인에 대한 혐의점은 시인하지 않았어! 검찰에서 제아무리 증거를 들이댄다고 한들 모르쇠로 일관할 걸세. 결국 일차적으로 직업여성과 성관계 여부를 비롯해 다른 비리 혐의만을 조사하게 되겠지. 만약 검사장이 무탈히 풀려난다면 그때 가서는 누가 가장 위험할 거 같나."

고지철은 대남을 노려보았다. 마치 검사장이 풀려나게 된다면 대남이 가장 먼저 위험하게 될 거라는 것을 암시하듯 말이다.

하나 대남은 겁을 먹기는커녕 양심을 저버린 듯한 고지철의 행태에 혀를 찼다. 변호사이기 이전에 법조인으로서 도덕성이 결여된 범법자를 위하고, 피해자들을 겁박하는 안하무인격인 태도에 대남이 고개를 절레절레 저으며 말했다.

"조민관이 전부 실토하지 않았나 봅니다."

"뭘?"

"조민관이 관계를 가졌던 직업여성 두 명의 정체 말입니다."

"정체라니……?"

"미성년자였습니다. 두 사람 전부, 차명 계좌를 사용하고 조작된 주민등록증을 사용하는 탓에 업소에서는 나이를 알 리 없었지만 공식적으로 밝혀진 나이는 미성년자였습니다. 수차례 만남을 가진 조민관이 이 사실을 몰랐을 리 없을 테고요."

"……!!"

고지철이 눈을 부릅떴다. 태강 2팀에서는 일차적으로 검사장과 관련해 살인 혐의만 벗기면 된다고 생각하고 있었다.

한데, 산 넘어 산이라더니 믿기지 않는 정보를 대남에게 들은 것이다.

"언론은 이제 태강 법무법인의 눈치를 보지 않습니다. 예전과는 많이 달라졌죠. 특히나 조민관 검사장과 관련한 사건이기에 공적으로도 태강 법무법인은 헐뜯기 참 좋은 상태가 되었습니다. 만약 이러한 상황 속에서 태강이 항소에 패배한다면 그 단죄는 누구에게 물려질까요."

"……."

"태강 법무법인에서는 조민관의 변론을 위해 2팀 소속 고지철 변호사를 앞장세웠다고 앞서 밝혔습니다. 이 모든 일이 종결된 뒤에도 변호사님께서 지금의 자리를 유지할 수 있을까요? 지금이라도 깨달으셨길 바랍니다. 본인이 썩은 동아줄을 잡았다는 사실을 말이죠."

썩은 동아줄……!

고지철의 얼굴은 점차 아연실색한 표정으로 물들어 갔고 손발이 떨리는 것이 눈에 보일 지경이었다. 대남은 그런 고지철을 향해 사형선고를 내리듯 단호히 말했다.

"결정하세요. 포기하든지, 조민관과 함께 죽든지."

대남의 단언에 고지철의 얼굴이 시한부 선고를 받은 환자처럼 핏기를 잃어갔다. 대남은 그 말만을 남긴 채 뒤돌아서 문밖으로 걸음을 옮겼다.

갑작스레 대남이 걸어 나오자 문밖에서 귀를 기울이던 2팀 소속 변호사들이 화들짝 놀라 뒷걸음질 쳤다.

"대남 씨, 괜찮아요……?"

한혜진이 서둘러 대남의 뒤를 따라 걸으며 작은 목소리로 물었다. 대남은 예의 괜찮다는 듯 고개를 짧게 끄덕여 보이고는 걸음을 옮겼다.

태강 소속의 변호사들이 무슨 일이 벌어졌는지 각자 사무실에서 얼굴을 빼꼼히 내밀고는 대남을 흘겨봤다. 쏟아지는 시선에 한혜진은 몸 둘 바를 몰랐지만 대남은 개의치 않아 보였다.

"어디 가는 거예요?"

"점심시간이잖습니까."

"네?"

이 와중에도 점심시간을 챙기는 대남의 모습에 한혜진은 얼떨떨했다.

2팀 소속 변호사 선배들을 비롯한 태강의 변호사들은 그런 대남을 곱게 볼 리 없었다.

언론사들이 태강을 법조계 집단이 아닌 범죄자 집단이라고 비아냥거리기 일쑤였다. 때문에 자신들은 지금 초비상상태 아닌가.

반면에, 대남은 기죽는 기색이 하나도 보이지 않았다. 그러한 모습에 한혜진이 조심스럽게 물었다.

"대남 씨는 괜찮아요……?"

"뭐가 말입니까."

"어제 취재 때문에 선배들 눈초리가 좋지 않잖아요. 가뜩이나 조민관 검사장을 변론한다고 해서 이미지가 좋지 않은데 거기다 쐐기를 박아버렸으니…… 아무리 그래도 같은 법조계 선배들이잖아요."

법조계는 사법연수원 기수를 비롯해서 학연, 지연을 중시한다. 대한민국이라는 좁은 터울 아래서 전관예우라는 말이 괜히 있는 것이 아니었다. 한혜진 또한 그 점을 고려해서 대남에게 말을 한 것이었다.

태강은 이미 조민관 검사장을 변론한다는 사실 하나만으로 대중들에게 손가락질을 받고 있는데 거기다 대남이 기름을 부어버렸으니 말이다.

"법조계 선배들이라, 한혜진 씨는 법률에 위아래가 있다고 생각하십니까?"

"……네?"

"전관예우라는 이름으로 선배 법조인이 변호사를 개업했을 때 후배 판·검사들이 선배 변호사에게 유리한 판결을 내리는 특혜 자체가 잘못된 관례입니다. 말이 됩니까, 애초에 범법 행위를 막기 위해 노력해야 할 법조인들이 저들부터 공공연히 범법 행위를 저지르고 있다는 사실이요."

"……."

한혜진은 말을 잇지 못했다. 전관예우는 폐단이 많은 관례로 점차 제한을 두고 있는 것이 사실이었지만 아직까지 법조계에 뿌리 깊게 남아 있었다.

그 탓에 이번 조민관의 변론을 맡은 태강 법무법인이 최대한 검사장의 형량을 낮출 거라는 예견이 팽배했다.

"태강은 독이든 성배를 마신 것이나 다름없습니다."

"그게 무슨 말이죠?"

"조민관이 저지른 위법행위는 겉으로 드러난 것보다 드러나지 않은 것들이 더욱 많습니다. 그와 관련된 정치권 인사들이 손가락으로 숫자를 헤아리기 힘들 정도로 서로 얽히고설켜 있더군요. 대중들은 지금 조민관에게 집중하고 있습니다. 이러한 상황 속에서 그에게 뇌물을 건네었거나 받은 사람들의 지금 심정은 어떠할까요."

동부지검에서 검찰 시보 생활을 지냈을 무렵, 한혜진 또한 그 정도가 얕긴 했지만 검사장에 관한 수사를 도운 적이 있었다. 말단이나 마찬가지였기에 깊숙한 내용을 알 수는 없었지만 분명 검사장과 관련한 정치권 인사들이 많았던 것으로 기억한다.

"미성년자들과 지속적으로 성관계한 것도 모자라, 두 사람을 무참히 살해하고, 부장검사에게 살인미수를 저지른 검사장을 정치권에서 어떻게 할까요."

"구해주지 않을까요?"

"구해준다고 한들 지속적으로 검사장은 법망에 걸리게 되어 있습니다. 살해 혐의뿐만 아니라 비리 저지른 것이 한두 번

이어야 말이죠. 이러다 혹여 저들의 이름까지 실토하지 않을까 정치권 인사들은 지레 겁을 먹게 마련입니다."

"그렇다면……."

이어지는 뒷말에 한혜진은 눈을 부릅떴다.

"사회적으로 죽이겠죠. 재기할 수 없도록."

대남의 말에 고지철은 고민하는 기색이 역력했다.

얼굴에는 수만 가지 생각이 오가고 있었고 이마 위의 주름살은 나이에 맞지 않게 며칠 사이에 더욱 깊어졌다. 덩달아 2팀 소속의 변호사들마저도 불안에 떨 수밖에 없었다.

"고지철 변호사. 조민관 검사장 1차 변론은 잘 준비되고 있습니까."

"그, 그게……."

"말을 하세요."

김태호 고문의 물음에 고지철은 말끝을 흐릴 수밖에 없었다. 어물쩍거리는 그 모습에 고문이 미간을 찌푸렸다.

고지철은 등 뒤로 식은땀이 흐르는 것을 느끼며 겨우 말문을 열었다.

"조민관 검사장이 저희에게 밝히지 않은 혐의점들이 더 있는 것 같습니다. 검찰에서도 살해 혐의를 중점적으로 다루고 있지, 여죄에 관해서는 함구하고 있고 말입니다."

"검찰에서 함구를 하고 있다니, 항소를 생각해서 그런다고 생각하는가."

"그렇게도 생각할 수 있지만 아무래도…… 밝혀진 죄목만으로도 최대 형량을 받게 만들겠다는 심산 같습니다."

"허."

고문은 기가 찰 수밖에 없었다. 피고는 다름 아닌 동부지검의 수장이었고, 그의 변론을 맡은 집단은 대한민국에서 최고로 일컬어지는 태강 법무법인이었다.

동부지검에서 도대체 어떤 비장의 수를 준비하고 있는지는 모르겠으나 저들을 철저히 무시했다고밖에 느껴지지 않았다.

"검사장이 자신의 혐의에 관해서 변호사들에게까지 속속들이 밝히지 않는 이유가 뭐라 생각하는가."

"……정·재계가 연관된 사안 아니겠습니까."

"알고 있으니 다행이군. 그 점에 관해서는 더 파고들지 말게나. 잘못했다가는 우리 태강이 오히려 역풍을 맞을 테니."

김태호 고문이 한숨을 내쉬었다. 세간의 관심을 끌고 있는 검사장 사건을 해결만 한다면 금전적인 이득은 물론이거니와 법조계 내에서 태강 법무법인의 위엄은 더욱 견고해질 것이다.

그 점을 생각해서 고문도 검사장 사건을 맡는 것에 적극적인 자세를 취했지만 시간이 지날수록 오히려 태강을 옥죄고 있었다.

고문은 눈앞의 고지철을 바라봤다. 모든 것이 잘못되었을 때 태강 내에서 총대를 멜 자이다.

"최선을 다해. 어떻게 해서든 조민관을 살려내야 하니까 말이야. 만약 일이 잘못되었다가는 여태까지 쌓아 올린 금자탑이 다 무너진다는 것을 명심하고."

고문의 목소리에는 중압감이 가득했다. 고지철은 고문의 말 속에 숨겨진 속뜻을 모르지 않았다.

여태까지 쌓아 올린 금자탑은 태강이 아닌 고지철 본인의 법조계 커리어를 말하는 것일 터. 고지철은 김태호에게 깊숙이 고개를 숙이며 자리에서 일어났다.

고지철은 2팀으로 돌아오고 나서도 쉽사리 변론 준비를 할 수가 없었다. 본의 아니게 도망칠 구석이 없어진 것이다. 썩은 동아줄을 잡았다는 대남의 말이 다시금 생각났다.

'포기해야 하나, 아니면 함께 죽어야 하나.'

포기한다면 태강에서의 변호사 생활은 청산해야 할 터였다. 하나, 조민관과 함께 죽게 된다면 태강에서의 변호사 생활은 물론 앞으로 남은 법조계 생활에 지대한 영향을 끼칠 게 분명했다.

불현듯 고개를 들어 대남을 바라본 고지철이 말했다.

"김대남 시보, 나하고 어디 좀 가지."

"어딜 말입니까?"

"가 보면 알아."

갑작스러운 고지철 변호사와 대남의 동행에 2팀 소속 변호사들의 눈이 휘둥그레졌고 옆자리에 앉아 있던 한혜진도 어찌된 영문인지 몰라 연신 고개를 두리번거렸다.

대남과 고지철은 그들의 시선을 받으며 밖으로 걸음을 옮겼다.

대남은 고지철의 자동차가 뻗어 나가는 방향을 보고 어디로 가고 있는지 짐작할 수가 있었다.

길게 줄지어진 회색 담벼락을 지나 경찰들의 삼엄한 경비를 받고 있는 서울구치소였다. 고지철은 접견실로 걸음을 옮기며 대남에게 말했다.

"네가 말했었지. 포기할 건지, 죽을 건지 선택하라고 말이야. 오늘 결정하마."

자신의 청춘을 바친 태강을 저버리는 행위를 여반장처럼 할 수는 없었을 것이다. 대남은 고지철의 바라보며 말했다.

"순간의 선택이 평생을 좌우합니다. 변호사님께서 오늘 어떤 선택을 내리실지 지켜보겠습니다."

대남의 말에 고지철이 천천히 고개를 끄덕여 보였다. 접견실에는 이미 조민관 검사장이 도착해 있었다.

미결수 신분이었지만 수인복을 입은 그의 모습은 동부지검 검사장실에서 보았던 그때와는 사뭇 달랐다.

조민관은 고지철의 뒤를 따라 대남이 걸어 들어오자 자리에서 벌떡 일어나며 눈을 부릅떴다.

"저, 저 자식이 여길 어떻게!"

"오래간만에 찾아뵙습니다. 조민관 씨."

"……!"

까마득한 법조계 선배인 것은 물론이거니와 짧은 기간이었지만 검찰 생활을 했을 무렵 동부지검의 최고수장 역할을 했던 조민관 검사장을 향해 예의 의뢰인을 만나는 듯한 대남의 모습에 검사장은 귀 끝까지 얼굴이 붉어졌다.

이미 대남의 성격을 수차례 경험한 고지철마저도 놀란 기색이 가득했다.

"고지철 변호사! 도대체 저 녀석이 여길 왜 온 건가! 오늘 태강과 접견이 있던 날이 아닌가. 동부지검 관계자가 온다는 말은 없었는데 말이야. 검사 시보 따위가!"

"검사장님. 김대남 시보는 현재 제 밑에서 변호사 시보 생활을 하고 있습니다. 오늘은 지도 변호사인 저와 함께 검사장님의 접견을 수행하기 위해서 왔습니다."

"허, 어떻게 이런 질긴 악연이."

검사장은 대남을 한차례 노려보다 고개를 돌렸다. 하지만 뒤이어 들리는 대남의 목소리에 다시 고개를 황급히 돌릴 수밖에 없었다.

"조민관 씨, 왜 횡령한 것에 대해서는 태강에 밝히지 않았습니까."

"그, 그게 무슨 말인가!"

"검찰 수사 자금을 수년간 횡령한 것도 모자라, 지위를 이용해 권력가들의 뒤를 봐주고 뇌물을 수수했다니요. 살해를 저지르시지 않으셨어도 평생을 교도소에서 보내시게 생겼습니다."

검사장은 대남이 저토록 세세하게 알고 있다는 사실에 경악을 금치 못했다.

"어떻게 해서든 3심 제도를 활용해 3년 이하의 징역을 받게끔 형을 감소시키고, 종국에는 집행유예로 법망을 빠져나가려는 심산 아닙니까. 수법이 너무 올드하고, 정·재계에 널리 알려진 방법입니다. 그래도 전 검사장급이라면 좀 기발한 방법을 고안한 줄 알았는데 말이죠. 범법을 저지른 조민관 씨를 욕해야 합니까, 무능한 태강을 탓해야 합니까."

"이, 이 새끼가! 고지철이, 지금 저 자식을 데려와서 나한테 무슨 짓이야!"

"……"

검사장의 윽박에도 고지철은 말없이 요지부동 자리를 지켰다. 변론기일 전 법무법인과 접견에서 이러한 모욕을 당했다는 것이 화가 나는지 검사장이 수차례 고지철과 대남을 번갈아 노려봤다.

"구치소 생활이 많이 힘드신가 봅니다, 그렇게 인상 쓰시는 것을 보니. 그럼 긴말하지 않겠습니다. 검사장께서는 지금 두 사람을 살해했다는 물증이 없어 안심하시는 눈치이신데 말입니다."

"증거는 없어!"

"왜 그렇게 자신하십니까. 본인이 처리했으니까 그렇게 자신할 수 있는 거겠죠."

대남의 말에 검사장은 잠시 주춤거리며 반응했지만, 입을 열지 않았다. 대남은 그러한 검사장을 바라보며 총알을 한 발 더 장전했다.

"그런데 어쩌겠습니까, 사라진 증거가 다시 수면 위로 떠올랐는데 말입니다."

"도대체 어떻게……!!"

"그건 저한테 물을 게 아니고, 검찰에 물으셔야지요."

검사장의 얼굴에는 황망함이 가득했다. 그의 머릿속에는 수많은 인과관계가 뒤섞여 흐르고 있었다.

도대체 검찰이 어디서 증거를 획득할 수 있었을까, 짚이는 곳이 너무 많아 판단이 제대로 되지 않을 지경이었다. 복잡한 검사장의 귓가로 대남의 목소리가 날아들었다.

"수인복이 잘 어울립니다. 조민관 씨."

대남의 목소리에 검사장의 눈가가 찢어질 듯이 위로 치켜 올려졌다. 한껏 찌푸려진 미간은 그가 얼마나 화가 났는지 짐작하게 해주었다.

일촉즉발의 상황 속에서 고지철은 묵묵히 그 광경을 바라만 보고 있었다. 그 모습에 검사장이 부릅뜬 눈동자로 고지철을 향해 언성을 높였다.

"고지철 변호사! 지금 이 자식이 내 앞에서 무슨 소리를 지껄이는 겐가! 오늘 있었던 일을 내 좌시하지 않을 거야. 김태호 고문에게 단단히 알려두겠네!"

"……."

검사장의 으름장에도 고지철은 쉽게 입을 열 수가 없었다. 접견실에는 냉랭한 기운만이 감돌았다. 대남은 검사장을 바라보며 나직이 말했다.

"서울구치소에서 꽤나 황송한 대접을 받고 있지 않습니까."

"뭐?"

"다른 재소자들에 비해서는 사회적 지위가 월등히 높으셨으니 구치소장조차도 쉽게 대할 수 없었겠죠. 한마디로 현재 서울구치소 내에서 범털로 불리지 않으십니까."

"······!"

고지철은 검사장을 깎아내리는 대남의 처사에 혀를 내둘렀다. 웬만한 배짱 가지고는 상상할 수 없는 언행이었다. 범털은 구치소 내의 거물급 재소자를 일컫는 범법자들의 은어였다.

대남은 여기서 그치지 않고 검사장을 좀 더 옥죄어갔다.

"아직도 검사장 신분을 잊지 못하고 구치소장에게 공수표를 남발해서 교도관들과 사동 도우미들이 생활에 도움을 주고 독방을 받고, 태강 법무법인에게는 집사 변호사를 요청해 평일 주말 가릴 것 없이 시간이 나는 대로 하루 종일 편안한 변호인 접견실에서 수감 생활을 보내시고 있지 않습니까."

"······."

"부끄럽지 않으십니까, 수감 생활 와중에도 아무렇지 않게, 마치 당연한 듯 비리를 저지르다니 말입니다. 만인은 법 앞에 평등해야 한다는 법치국가의 원칙을 저버리는 법조인의 모습이라, 이제는 아예 비리에 면역이라도 생긴 것입니까!"

"너, 너 이 새끼!"

검사장이 자리에서 벌떡 일어나며 노성을 터뜨렸다. 대남이 말 한 마디 한 마디가 거짓이 아님을 증명하듯 그의 얼굴은 붉으락푸르락해져 있었다.

　곧장 수인복을 입은 채 달려들 태세였던 검사장은 뒤이어지는 말에 얼음장처럼 얼어붙을 수밖에 없었다.

　"만약 이 사실을 국민들이 알게 되면 어떻게 될까요?"

　검사장의 동공이 지진이라도 일어난 것처럼 흔들렸다.

　"파렴치한 검사장의 뒷모습이 언론을 통해 낱낱이 까발려졌는데, 구치소 내에서 황제 생활을 즐기고 계시다는 사실은 알리기 싫으신가 봅니다. 아마 이번에 무탈하게 풀려나게 되면 잠자코 있다 법원에 이의 신청을 해 박탈되었던 변호사 자격을 복권시키려는 계획이었을 테죠."

　"뭐라고 하는지 당최 모르겠네. 증거, 증거라도 있나? 자네 말처럼 내가 구치소 내에서 그런 생활을 했다는 증거는 그 어디에도 없네."

　"왜 없습니까, 이미 교도관들의 취재는 물론이고 구치소장도 협력하겠다고 전했는데 말입니다. 아무래도 조민관 씨가 서울구치소 내에서 행패를 부린 것이 여러 사람의 눈 밖에 난 듯싶습니다. 그러게 평소에 처신을 잘했어야죠."

　"……."

　대남의 조롱 섞인 말에 검사장은 망연자실한 표정으로 자리에 무너지듯 앉을 수밖에 없었다.

고지철은 대남을 바라보며 눈짓으로 이만하면 되었다는 것을 표시했다. 대남은 짧게 고개를 끄덕여 보이고는 자리에서 일어났다.

"조민관 씨, 설마 바깥 공기 마실 생각을 하셨습니까?"

황망하게 어깨를 늘어뜨린 채 앉아 있는 검사장을 향해 대남은 마지막 말을 남겼다.

"어쩝니까, 평생 죗값을 뉘우쳐도 모자랄 텐데."

- 3장 -

법비(法匪)(3)

　서울구치소를 빠져나온 대남과 고지철은 말없이 차를 태강
법무법인으로 몰았다.

　고지철은 자동차 액셀을 밟는 이 순간에도 마음이 갈팡질
팡할 수밖에 없었다.

　구치소 내의 광경을 보고 있자면 대남의 말처럼 포기하는
것이 백번 옳은 일이었으나, 좀처럼 결정을 내리기가 쉽지가
않았다.

　"결정하셨습니까?"

　"결정하겠다고 말은 했지만, 쉽지 않군. 어떻게 보면 이번 기
회가."

　"무너져 버린 커리어를 다시 일으켜 세울 수 있는 절호의 기
회라고 생각하셨겠죠."

"……."

고지철은 고개를 들어 태강 법무법인 건물을 바라봤다. 청춘을 바치고, 법조인으로서의 삶을 지탱해온 곳이다.

대남으로 인해 고지철이 태강에서 쌓아 올렸던 명성은 하루아침에 재가 되었고, 검사장 변론을 맡아 다시 쌓아 올릴 수 있는 기회가 왔건만 또다시 흔들릴 수밖에 없었다.

그리고 그 일련의 사건에 대남이 함께한다는 사실이 믿기지 않는 고지철이었다.

"인생에서 기회는 그리 흔하게 찾아오지 않습니다, 지금 변호사님 앞에 놓인 것 중 어느 것이 진짜 기회인지 잘 판단하셔야 할 겁니다. 후회하지 않도록."

대남은 그 말만을 남긴 채 걸음을 옮겨 태강 법무법인 안으로 들어갔다. 고지철은 그런 대남의 뒷모습을 허망한 눈동자로 뒤쫓을 뿐이다.

태강 법무법인 2팀으로 돌아오자 소속 변호사가 급하게 고지철을 찾았다.

고지철은 소속 변호사의 귀띔을 듣고는 곧장 고문 변호사실로 향했다.

뛰다시피 고문실 앞에 도착한 고지철은 숨을 가다듬고 문을 열었다.

그리고 곧장 고문의 목소리가 귓가를 파고들었다.

"자네, 김대남이랑 같이 서울구치소에 갔다 왔나?"

김태호 고문의 날 선 물음에 고지철은 말을 제대로 잇지 못했다. 고문은 언제라도 자리에서 일어나 고지철에게 주먹을 날릴 것같이 주먹을 가득 말아 쥐고 있었다.

"······지금 막 갔다 오는 길입니다."

고지철은 겨우 힘을 내어 물음에 답했다. 고문은 계속해서 고지철을 노려봤다. 마치 더 할 말 있으면 해보라는 듯한 제스처였다.

"······변호사 시보 생활을 하면서 피고인 접견 실습을 해보는 것도 나쁘지 않다고 생각했습니다."

"그걸 지금 나한테 변명이라고 해!"

"죄송합니다."

고지철은 고개를 깊숙이 숙일 수밖에 없었다. 고문의 눈동자는 이미 이글이글 타오르고 있었다. 아마 검사장의 연락을 받은 것일 터였다.

"조민관이 지금은 이빨 빠진 호랑이지만, 그래도 동부지검에서 검사장을 역임했던 사람이야! 구치소에 있는 와중에도 자네 하나쯤은 어떻게 할 수 있는 양반이라고. 그런데 제 깜냥도 모르고 거길 가서 그렇게 난리를 쳐?"

"죄송합니다."

"죄송하다고 말하면 다 끝날 일 같은가, 앞으로 변론기일이 얼마 남지 않았는데 어떻게 할 생각이야! 자네는 집에 있는 처자식이 생각 안 나는 모양이지?"

김태호 고문의 목소리가 한 글자 한 글자 고지철의 뇌리에 박히듯 들어왔다.

대남의 말에 확신이 안 서 접견실까지 다녀왔음에도 오히려 더 혼란스럽기만 했다.

김대남이라는 인물에 비해 조민관은 정말로 조악해 보이기까지 했다.

하나, 검사장이 여태까지 법조계에서 혁혁하게 쌓아 올린 공들이 하루아침에 무너지지는 않을 터였다.

고지철은 끝끝내 망설이다 대답을 했다.

"……최선을 다하겠습니다."

고문은 한 차례 고지철의 눈동자를 직시하다 이내 고개를 휙 돌렸다.

"자네는 내려가고, 김대남 그놈 올라오라고 해. 건방진 놈 같으니라고."

"접견실에 데려간 것은 전적으로 제 책임이……."

"그만. 더 이상 그 이야기는 하지 말고 김대남이나 데려와!"

"……."

고지철은 대남의 얼굴을 제대로 볼 자신이 없었다. 결국 고문실을 빠져나온 후 후배 변호사에게 지시해 대남을 고문 변호사실로 올려 보낼 뿐이었다.

대남은 아무렇지 않게 자리에서 일어나 고문실로 걸음을 옮겼다.

똑똑-

노크 소리와 함께 문을 여니, 그곳에는 일전과 다르지 않아 보이는 김태호 고문이 앉아 있었다. 그의 손짓에 대남은 자연스럽게 맞은편 자리에 몸을 앉혔다.

고문의 얼굴에는 화가 난 기색이 역력했지만 쉬이 말을 꺼내지는 않았다.

얼마나 시간이 지났을까, 고문이 눈을 지그시 한 번 감았다 뜨고는 말했다.

"자네, 거기는 왜 갔나?"

밑도 끝도 없는 물음이었지만 대남은 그가 지칭하는 장소를 모르지 않았다.

"제가 다녀오면 안 될 자리였습니까?"

"자네 지금 조민관 검사장을 만나서 그런 행패를 부려놓고 한다는 소리가 그게 전부인가? 다녀오면 안 될 자리였냐고 정말 몰라서 묻는 게야!"

"행패라니요. 있는 그대로를 말했을 뿐입니다."

"허!"

대남의 당당한 태도에 고문은 머리끝까지 혈압이 오르는 것을 느꼈다.

법학도 시절에는 눈에 띄는 원석인 줄 알았으나, 이제 와 보니 굴러다니는 시한폭탄이 따로 없었다.

이런 이들에게는 정론이 통하지 않는다는 것은 김태호는 알고 있었다.

김태호는 뱁새눈을 한 채로 대남을 흘겨보며 입을 열었다.

"자네 변호사 시보 생활이 얼마 남지 않았지? 법조계는 아주 좁네. 자네같이 길길이 날뛰는 이들은 제아무리 실력이 있다고 한들 누구도 알아주지 않아. 오히려 배척하려고 들 테지. 검찰이라고 다를 것 같나? 오히려 그쪽에선 자네를 대놓고 싫어할 걸세. 같은 가족을 위해한 범인이나 다름없어, 자네는."

"같은 가족이라……."

"검찰은 결속력이 아주 강한 집단이지. 어느 지검을 가더라도 자네를 환영해 주는 이들만 있지는 않을 걸세. 오히려 경계하며 뒤로 인사고과가 평가절하 되지 않으면 다행이겠지. 애초에 니가 자네를 좋게 봐서 태강에 들이려 한 것인데 이렇게 나오다니. 정말 어리석군, 어리석어."

김태호 고문의 혀 차는 소리가 크게 들렸다.

법조계는 고문의 말마따나 아주 좁았다. 더욱이 대남이 일전에 동부지검 기자회견장에서 제대로 얼굴도장을 찍은 뒤니 법조인들 사이에서 대남을 모르는 이는 없을 것이다.

크고 작은 비리들은 저들의 입맞춤으로 묵과해 주던 검찰에서 큰 사건을 터뜨린 장본인이기에 수많은 관심은 감내해야 하는 것이었다.

"어리석은 건 김태호 고문 아닙니까?"

"뭐?"

"수십 년 동안 법조계에 몸담고 있었으면서 아직까지도 후진적인 시대사상을 버리지 못하지 않았습니까. 검찰에서 저를 싫어할 거라고요? 싫어하라고 하십쇼. 저는 상관없습니다. 그리고 고지철 변호사를 어떻게 구워삶았는지는 모르겠으나 언론의 집중포화를 맞을 것을 뻔히 알면서도 후배를 보내는 김태호 고문의 가족 같은 마음 잘 알았습니다."

"……!!"

"또."

대남은 잠깐 말을 멈추어 고문의 집무실 이모저모를 살펴보았다. 변호사 집무실치고는 다소 화려하고 고즈넉한 도자기들이 많이 비치되어 있었다.

태강 법무법인의 실세였으니 부(富)와 가장 가까운 위치에 있는 것이 당연했다. 대남은 고개를 돌려 고문을 직시하며 말했다.

"남들의 피와 살을 깎아 모은 재화가 언제까지 가나 두고 보 겠습니다. 법률을 이용해서 비적질을 일삼고, 허점을 이용해 서 미꾸라지처럼 빠져나가고, 지위를 이용해서 아랫사람을 깔 아뭉개는 김태호 고문님."

"뭐, 뭐라?"

"조민관은 머지않아 무너질 겁니다. 이번 일을 계기로 그대 로 법조계의 악행이 묻힐 수도 있습니다. 하나 저는."

뒤이어지는 말에 김태호가 눈을 부릅떴다.

"이번 일이 도미노의 시발점이 되어 김태호 고문에게까지 닿 기를 바라겠습니다."

"……!!"

조민관으로 불거진 비리의 시발점이 도미노가 되어 김태호 고문에게 닿기를 바란다니, 당사자인 김태호의 표정은 언제 터 져도 이상하지 않을 만치 달아올라 있었다.

고문은 상당히 기분이 언짢은지 입가가 미세하게 씰룩였다.

"살다 보니 법조계 후배에게 그런 말을 다 들어보는군. 자네 는 세상이 다 자네 뜻대로 될 것 같은가. 제아무리 유명한 이 야기라도 아흐레를 못 간다는 이야기가 있지. 지금 당장에야 검사장에 관한 구설수가 여기저기서 오르락내리락하지만, 국 민들이 3심까지 이어진 길고 긴 재판 과정에 관심을 기울일 것 같은가? 그때 돼서 자네는 어떨 거 같은가."

고문은 성난 표정 그대로 대남에게 물었다. 대남은 그의 물음이 전하는 바를 모르지 않았다.

어차피 시간이 지나면 잊힐 것인데 처신을 잘못한 너는 어떻게 되겠냐는 것을 완곡히 돌려 말하는 것이나 진배없었다.

"정의의 사도가 된 기분이었겠지, 검사 시보였지만 동부지검에서 검찰이나 진배없는 생활을 하면서 말이야. 기자회견장에 얼굴을 비치고 검사장을 본인 손으로 직접 잡아내다시피 했으니 헌정 이래 그만한 업적을 세운 검사 시보는 존재하지 않을 걸세. 다만."

"다만?"

"그렇게 길길이 날뛴 대가는 언젠가 받게 될 걸세. 그때 가서는 용서를 빌어도 늦어."

고문은 짐짓 으름장을 놓으며 팔짱을 끼었다. 노회한 그의 눈동자는 그 어느 때보다 날이 서 있었다. 대남은 그러한 모습을 보며 고개를 저어 보였다.

"용서를 빌어야 하는 것은 제가 아니라 태강입니다."

"뭐라?"

"국민들이 재판에 관심을 기울이지 않는다고 하더라도, 동부지검의 검사들은 포기할 생각이 없을 겁니다. 더불어 이 사건의 실태를 아직도 모르시니 제가 더 답답하군요. 과연 정·재

계에 조민관이 무탈하게 풀려나기를 바라는 사람이 많을까요,
아니면 그대로 죽기를 바라는 이들이 많을까요."

고문의 희끗희끗한 머리카락이 곤두섰다.

동부지검에서 조민관 검사장을 수사한 내역에 관해서는 세
간에 자세히 밝혀지지 않았다. 변론기일이 되어봐야 알겠지만,
드러난 증거만으로는 조민관의 혐의를 전부 입증할 수는 없을
터였다.

"……자네, 뭘 알고 있는 게지?"

고문이 조심스레 대남을 향해 물었다. 과연 동부지검에서
어떤 증거들을 입수했기에 대남이 저토록 당당한 것일까, 대남
이 자세를 고쳐 앉고는 말했다.

"글쎄요, 확실한 건 태강이 똥을 밟았단 사실이죠."

태강 법무법인의 분위기는 조민관 검사장의 공판기일이 다
가올수록 점차 냉랭해졌다.

대국민의 이목이 쏠려 있다고 해도 과언이 아닌 검사장의
재판은 많은 가십을 낳았고 그 가운데 변론을 맡은 태강은 항
상 사람들의 입방아에 오르내릴 수밖에 없었다.

"시키실 일 없으십니까."

대남의 말에도 2팀 소속 변호사들은 서로 시선을 회피할 뿐 대남에게 일을 맡기지 않았다.

처음에는 곤혹스럽게 하고자 시보가 맡기에는 버거운 업무들을 시켰는데 그때마다 대남은 마치 손바닥 뒤집듯 수월하게 해내었다.

그러한 일들이 계속되자, 이제는 소속 변호사들이 시보인 대남을 피했다.

"대남 씨, 근데 고문님이 왜 부른 거예요?"

"궁금하십니까."

"……네."

한혜진이 조심스레 작은 목소리로 물었다. 그녀는 대남이 고문 변호사실에서 나눴던 이야기가 무척이나 궁금한 듯했다.

대남은 그런 그녀를 바라보다 천천히 입을 열었고, 뒤이어진 말에 한혜진의 눈이 동그랗게 커졌다.

"태강 법무법인 2팀은 언론의 제물이 될 거라는 이야기를 했습니다."

"제, 제물이라고요?!"

"네. 2팀은 태강 법무법인을 대표해서 몰매를 맛을 테니까요."

"……!!"

한혜진이 놀라며 탄성을 터뜨렸다. 그 바람에 2팀 소속 변호사들의 귀가 자연히 기울여질 수밖에 없었다.

다들 자기 업무를 하는 듯하면서 귀는 대남의 입에 집중하고 있었다. 대남 또한 그 사실을 모르는 바가 아니었지만 개의치 않은 듯 계속해서 말을 이었다.

"김태호 고문께서도 짐작하고 있더군요, 이번 법정 싸움에서는 태강이 승산이 미미하다는 사실을 말입니다. 그런데도 아직까지 언론에서는 태강 법무법인이 조민관 검사장을 전력투구해서 변호한다고 나와 있습니다."

"대체 왜……?"

"한혜진 씨는 토사구팽이라는 말은 들어보시지 않으셨습니까. 지금 2팀이 딱 그 꼴 아닙니까."

대남의 말이 끝나자마자 2팀 소속 변호사들이 부리나케 자리에서 일어나 눈을 부릅떴다. 고지철은 말없이 자리를 지키고 있었지만 후배 변호사들은 아니었다.

"자네, 말이면 단 줄 아나, 지금 어디서 토사구팽을 운운하는 건가! 고문께서 오냐오냐해주니까 우리까지 그런 줄 아나 보지? 자네는 지금 태강 법무법인 변호사들의 눈 밖에 났다는 사실을 아직도 모르는 건가!"

"눈 밖에 났다라, 지금 제 걱정하실 때가 아닐 텐데요."

"뭐어!"

소속 변호사의 고성에 사무실 밖을 지나던 변호사들마저도 자리에 멈춰 선 채 2팀 안을 주시하기 시작했다.

대남은 그러한 상황에서도 평정심을 잃지 않으며 저에게 고성을 내질렀던 변호사를 바라봤다.

콧바람을 연신 내쉬는 그는 적잖이 화가 난 듯했다. 대남은 그에게 찬물을 끼얹듯 말했다.

"저는 태강 법무법인의 눈 밖에 났을지 모르나, 여러분은 전 국민의 눈 밖에 난 거나 다름없습니다."

장내가 삽시간 만에 조용해졌다. 다들 내색은 하지 않았지만 언론사를 통해 보도된 태강 법무법인의 실체로 인해 꽤나 고역일 터였다.

조민관을 변론하기 위해 자료를 모으고 있었지만 오히려 시간이 지날수록 패소할 것이라는 사실만이 짙게 나타났다.

"저는 먼저 일어나겠습니다. 퇴근 시간이 다되어서 말이죠."

대남은 그 말만을 남긴 채 자리에서 일어섰다. 대남이 자리를 비운 2팀에는 적막감만이 감돌았고, 그 누구도 먼저 말문을 열지 않았다.

"대남 씨! 같이 가요."

"한혜진 씨도 퇴근하게요?"

"네, 어차피 시보 생활도 얼마 안 남았잖아요. 동부지검에서 검찰 시보를 보냈다는 이유 하나만으로도 시보 평가를 짜게 줄 게 뻔한데 눈치 보면서 끝까지 남아 있기는 싫어요."

한혜진은 싱글벙글한 표정으로 대남의 뒤를 따랐다. 한혜진은 눈앞의 대남이 보면 볼수록 신기한 인물이라고 생각했다.

검찰에서 겪었던 일련의 일들을 생각하면 그 누가와도 상상키 힘들었고, 해내기 힘든 일이었다. 한데 대남은 한 치의 망설임도 없이 일을 진행해 나갔다. 주변의 시선과 소음은 대남에게 있어서 하등 방해가 되지 않는 듯했다.

"이제 며칠 뒤면 변호사 시보 생활도 끝이네요."

한혜진은 그렇게 말을 하며 태강의 건물을 올려다보았다. 처음 이곳에 도착했을 때만 해도 외관의 모습과 선배 변호사들의 인텔리한 모습에 반했었다. 저 또한 변호사 생활을 하게 된다면 태강에서 시작하고 싶다고 생각했었다.

하나 날이 지날수록 양파가 벗겨지듯 드러나는 태강의 모습에 혀를 찰 수밖에 없었다.

빛 좋은 개살구, 이보다 태강을 더 뚜렷하게 나타내는 말이 있을까.

"참, 공문 내려온 거 보셨어요? 태강 소속 변호사들 일체 언론사와 접촉을 삼가라고 하던데 말이에요. 이번에 예정되어 있던 법률저널 인터뷰는 아무래도 취소를 해야겠죠?"

사법연수원 기수마다 각 시보 생활을 끝내고 법률저널에서 인터뷰 요청이 들어왔는데, 아무래도 세간의 관심 받고 있는 태강 법무법인 소속 변호사 시보인 대남과 한혜진이 낙점되었다.

"굳이 취소를 할 필요는 없습니다. 어차피 지금 태강의 입장에서는 저희한테 관심을 기울일 수 있는 시간과 인력이 없을 겁니다."

"그렇다면 다행인데……."

"걱정할 필요 없습니다. 사법연수원 각 시보 생활마다 매년 있던 법률저널 인터뷰인데 굳이 태강에서 훼방 놓을 건덕지는 없으니까요."

대남의 말에 한혜진은 그제야 안심이 되었다. 시보 생활 동안 겪었던 태강 법무법인에서의 일은 긴장감 속의 나날이었다. 극도로 치솟은 선배 변호사들의 심기를 건드리지 않기 위해 마치 외줄을 타는 듯한 기분마저 들었다.

하나 그러한 변호사 시보 생활도 이제 얼마 남지 않았다.

법률저널 김 기자는 태강 법무법인을 방문하고는 눈을 두리번거렸다.

대한민국에서 최대 규모로 일컬어지는 법무법인답게 그 규모에 눈이 휘둥그레지는 것은 다반사였다.

곧이어 김 기자가 시선 너머로 보이는 대남과 한혜진의 모습에 입가에 미소를 만개했다.

"만나서 반갑습니다. 법률저널에 김기대 기자입니다. 김대남 시보 이야기는 익히 유명해서 들어서 알고 있었고, 한혜진 시보도 듣던 대로 엄청 미인이십니다."

김 기자는 사람 좋은 미소를 지어 보이며 대남과 한혜진을 이끌었다.

태강 법무법인을 나와 인근의 다방에서 이루어진 인터뷰는 법률 저널을 비롯해서 사법연수원 내의 간행지에도 실릴 예정이었으므로 변호사 시보 생활 자체에 중점을 두고 있었다.

"한혜진 시보께서는 태강 법무법인에서 시보 생활을 하며 어떤 점을 느끼셨습니까."

"태강 법무법인에서 짧게나마 시보 생활을 하면서 느꼈던 점을 꼽으라면 아무래도 변호사님들의 탁월한 업무 처리 능력이라고 생각됩니다. 솔직히 저로서는 감당하기 힘든 업무의 연속이었지만 역시 선배 변호사님들은 수월하게 해내시더라고요."

한혜진은 미리 준비해 두었던 답변을 읊어 내려갔다. 곧이어 김 기자가 고개를 돌려 대남을 바라봤다.

그는 수첩을 손에 쥔 채 대남의 입에 집중하고 있었다.

"대남 씨는 어떠셨습니까?"

"태강 법무법인에서의 생활은 유익하지 않았습니다."

"네?"

노골적인 대남의 말에 김 기자가 되물었고 한혜진의 얼굴에는 놀란 기색이 역력했다.

그래도 공식 인터뷰였으니 말은 가려 할 거라 생각했던 자신의 예감은 어김없이 빗나갔다. 대남은 차로 입을 축이고는 말했다.

"태강에서의 마지막 날이지만 아쉽다는 생각은 들지 않습니다. 오히려 오수로 가득 찬 하수구를 빠져나갈 수 있다는 생각에 몸서리쳐지게 기쁩니다. 훗날 태강은 머지않아 저들이 했던 행위에 대한 엄벌을 받게 될 겁니다."

"그, 그게 무슨 말입니까?"

"금전이라면 눈에 불을 켜고 달려드는 태강의 행위 하나하나는 법조계에 지대한 영향을 끼치고 있습니다. 물론 안 좋은 쪽으로 말이죠. 하나 앞으로 달라질 것입니다. 조민관 검사장의 일이 법의 심판대에 제대로 세워지게 되었으니 말이죠."

김 기자는 침을 꿀꺽 삼켰다. 역시나 듣던 대로 폭탄 발언의 연속이었다. 대남은 김 기자의 기대를 충족시켜 주려는 듯 계속해서 말을 이이 나갔다.

"국민 여러분들을 비롯한 법조인들은 이번 사건을 집중해서 바라봐 주셨으면 합니다. 며칠 전 태강의 김태호 고문이 저에게 그런 말을 하더군요. 뜨겁게 타올랐다가, 급속히 식어버리는 천성을 가진 우리나라 국민들이 3심 재판까지 관심을 줄 수 있을 것 같냐고 말이죠."

"……!!"

"김태호 고문이 그렇게 말했다는 것을 증명하실 수 있으십니까?"

김 기자의 물음에 대남은 안주머니에서 녹취기 하나를 꺼내어 테이블 위에 올려놓았다.

"김태호 고문이 저에게 했던 말입니다. 아무리 유명한 일도 아흐레를 못 간다며 비아냥거리더군요. 정말 그런지 보고 싶습니다."

"허."

김 기자는 탄성을 터뜨렸다. 대남이 빼도 박도 못할 증거를 내밀었기 때문이다. 물론 법적으로 위배가 되는 행위는 아니었지만 김태호 고문은 이번 계기로 사람들의 질타를 받을 것이 뻔했다.

김 기자는 대남을 바라보며 물었다.

"앞서 말한 오수는 무엇입니까, 태강을 가리켜 하수구라 표현하셨는데 이유가 있으신가요?"

김 기자의 물음에 대남은 콧등을 긁으며 말했다.

"기자님은 못 느끼셨습니까? 태강에서 풍겨 나오는 악취를 말입니다."

김 기자의 손놀림이 그 어느 때보다 빨라졌다. 특종의 연속이라고밖에 말할 수 없을 정도로 대남이 내뱉는 말 한 마디 한 마디에는 가공할 만한 내용이 담겨 있었다.

특히 김태호 고문의 녹취록은 검사장의 연쇄살인 사건에 공분을 토하던 대중들에게 큰 반향을 일으킬 것이라 짐작했다.

"악취라, 대남 씨는 현재의 태강 법무법인이 비리를 저지르는 곳이 되었다고 말씀하시는 것입니까?"

"법적으로는 위배되는 행위를 하는 것은 아니니 비리라고 단정 지을 수는 없지요. 다만, 법률의 취약점을 파고들어 권력가들의 옆에 붙어서 집사 노릇을 하는 그들을 어찌 사회의 빛과 소금이 되어야 할 법조인이라고 말할 수가 있겠습니까."

"······!!"

법조인이라 말할 수가 없다라. 그 말 한마디가 의미하는 바를 김 기자 또한 모르지 않았다.

태강 법무법인은 법조인들 사이에선 물욕귀라 불리며 손가락질 받았던 곳이다. 하나 태강이 발휘하는 힘을 모르지 않았기에 쉬쉬할 뿐, 여태껏 대놓고 비난을 가하는 이는 없었다. 법조계라는 폐쇄적인 구조 체계에서 그만한 영웅은 나타나기 힘들었다.

그런데 김 기자는 오늘 보았다. 눈앞의 영웅을.

"한혜진 씨와는 전혀 별개의 제 개인적인 소견이니 저널에도 그렇게 작성을 해주시면 감사하겠습니다. 아무래도 곤란하실 것 같아서 말이죠."

"네, 네. 알겠습니다."

"……."

한혜진은 말없이 대남을 바라봤다. 저도 태강 법무법인에서 시보 생활을 겪으며 봐왔던 수많은 일을 알지만 묵과할 수밖에 없었다.

혹여 소문이라도 잘못 새어 나갔다가는 법무법인은커녕, 서울 바닥에서 법률사무소를 개업하기도 힘든 실정이었기 때문이다.

자신의 이기적인 모습에 말없이 고개를 떨군 한혜진을 뒤로한 채, 김 기자가 목이 타는지 물을 급히 마시고는 재차 질문했다.

"김대남 씨께서는 앞서 동부지검에서 검사 시보를 지내셨는데, 그간 조민관 검사장 사건에 관해 시보직으로는 이례적이라 할 정도로 많은 관여를 하였습니다. 다소 곤란한 질문일 수도 있지만 김대남 씨 생각으로는 조민관 검사장의 형량은 어느 정도가 알맞을까요?"

"검찰에서 구형을 어떻게 내린다고 한들, 법원의 재량 하에 달라지는 문제니 제 의견은 그리 중요치 않겠죠. 기자님께서는 어떻게 보십니까. 이번 사건에 대해서 말입니다."

"음…… 아무래도 조민관 검사장의 직위와 아직 밝혀지지 않은 명확한 혐의점들, 그리고 검사장을 변론하는 태강 측의 전관급 변호사들을 생각한다면 그리 오래 살지는 않을 것 같습니다만……."

김 기자는 조심스럽게 자신의 생각을 밝혔다. 세간에 밝혀진 검사장의 사건은 대중들 사이에선 중형을 받아야 된다 말들이 많았지만, 법조인들의 생각은 달랐다.

법리 해석의 관점 자체가 일반인과는 달랐기 때문이다. 법조계에선 검사장이 집행유예를 받을 수도 있다는 말들이 나오고 있는 지경이었다.

그만큼 허점은 많았고, 뿌리 깊게 내려진 관행은 쉽사리 떨쳐낼 수가 없었다.

"김대남 씨께서는 어떻게 생각하십니까……?"

"만약 제가 검사라면 뒤도 돌아보지 않고 조민관에게 법정 최고 형량을 구형했겠지요."

"무기징역을 말씀하시는 겁니까?"

전직 검사장에게 무기징역을 구형한다라, 검찰 입장에서는 많은 고민이 될 수밖에 없는 수였다. 더불어 법원에서 확정을 해줄지도 의문이었다.

길고 긴 3심 재판의 끝은 아직 알 수 없었지만 시보라는 직

함으로 이토록 당당히 무기징역을 말하는 대남에게 김 기자
는 박수라도 쳐주고 싶었다.

"무기징역은 아닙니다."

"아니란 말입니까? 역시 김대남 씨께서도 검사장이 무기징
역까지는 받지 않을 거라는 예상을……."

"사람을 죽였는데 무기징역으로 되겠습니까?"

"네?"

대남이 찻잔을 소리 나게 내려놓으며 말했다.

"사형, 그뿐입니다."

김태호 고문은 믿기지 않는다는 눈으로 신문을 읽어 내려가
고 있었다. 검버섯이 피어오른 손아귀는 신문을 쥐어 잡은 채
떨리고 있었고 부릅뜬 눈동자의 옆으로는 핏발이 거세게 올
라 있었다.

고문은 급히 인터폰을 들어 밖에 대기하고 있던 비서에게
말했다.

"고지철 변호사 당장 올라오라고 하세요!"

얼마 지나지 않아, 고지철이 부리나케 달려왔다. 급히 고문
변호사실 문을 연 고지철의 이마에는 땀이 흥건했고, 눈동자

가 흔들리는 것이 그 또한 무슨 일이 벌어졌는지 대번에 알고 있는 듯했다.

고문은 신문을 들어 보이며 성난 목소리로 말했다.

"이게 도대체가 뭡니까? 내가 분명 전 직원들 언론사와 접촉을 삼가라고 전하지 않았습니까!"

"……그것이 사법연수원 간행지에 실릴 인터뷰라고 해서 저희 쪽에서도 어쩔 수가 없었습니다. 연수원에서 주기적으로 시보들을 인터뷰하는 문제였기 때문에……."

"자네, 이 기사 내용을 보고도 그런 말이 나와?"

"……"

고문이 들고 있던 신문을 고지철의 발치로 던졌다. 기사의 헤드라인에는 자극적인 문구들이 가득했고 1면을 가득 메운 사진의 중심에는 대남이 있었다.

고지철 또한 오늘 아침 배부된 신문을 보고 익히 알고 있었다. 이미 태강 법무법인은 이번 신문기사로 인해 시끌벅적했다. 그리고 가장 중요한 기사의 제목은 바로 김태호 고문을 저격하고 있었다.

"내가 국민들을 향해 3심 재판을 기다리는 일은 쇠귀에 불경을 읽는 것이나 마찬가지라고 기사가 말하고 있어, 지금 내 집무실로 얼마나 많은 전화가 빗발치는지 아는가!"

"……죄송합니다. 할 말이 없습니다. 다 제 불찰입니다."

"죄송하다는 말로 끝날 문제 같은가. 일개 시보가 태강을 욕보인 것도 모자라 태강이 전력투구를 하고 있는 검사장에 관해 사형을 내려야 한다고 취재를 했고 날 욕보였어! 지도 변호사라는 작자는 그걸 막을 생각도 못 했고 말이야!"

"……"

고지철은 쉽사리 말을 잇지 못했다. 일전의 대남과 함께 구치소 접견을 다녀온 이후에는 대남과 말을 섞지 않았다.

그전만 하더라도 대남에 대한 시기심과 분노로 마음이 가득 들어찼었지만 일련의 일을 겪고 나서는 그러한 마음이 들지 않았다.

오히려 자기 자신에 대한 우유부단함과 후회로 가득 들어찼다. 하지만 고문은 그런 고지철의 생각을 아는지 모르는지 또 한 번 윽박을 질러댔다.

"내 이번 일에 관해서는 가만히 있지 않겠네, 공문을 내렸는데 그걸 무시하고 자기 마음대로 행동을 해? 그것도 태강을 비난하는 인터뷰를 하고 말이야! 지금 태강이 동네북이 되어가고 있다는 사실을 알고나 있기나 한가!"

"죄송합니다."

"명실상부 대한민국의 최고 법무법인으로 불리던 태강이 요 며칠 사이 아주 휠뜯기고 있어 미꾸라지 한 마리가 들어와서 훼방을 놓는 것도 정도가 있지. 기존에 있던 자네가 그렇게 처신을 똑바로 하지 못하니 이런 일이 생기는 거 아니야!"

"……."

"김대남이, 오늘이 시보 생활 마지막 날이라고 했지."

"그렇습니다."

고지철이 힘겹게 대답했다. 그 모습에 고문이 자리에서 벌떡 일어났다. 웬만하면 자리에서 일어나지 않는 고문의 모습에 고지철이 놀랐고 뒤이어진 말에 한 번 더 놀랄 수밖에 없었다.

"내가 2팀으로 가서 그놈 낯짝을 한번 봐야겠어, 건방진 새끼 같으니라고!"

시보 생활의 마지막 날에는 소속 변호사들과 함께 회식을 하거나 거한 송별회를 하게 마련인데 이번 기수만큼은 그런 게 존재하지 않았다.

오히려 소속 변호사들이 대남을 피하거나, 흘겨보기 일쑤였다. 더불어 2팀은 나날이 커져 가는 불안감 속에 초상집이나 다름없었다.

"고, 고문님!"

한혜진이 김태호 고문을 먼저 발견하고 자리에서 일어나 고개 숙였다. 그제야 2팀 소속의 변호사들도 자리에서 황급히 일어나 깊숙이 고개를 숙였다.

대남은 가장 늦게 느긋하게 자리에서 일어나 짧게 고개를 끄덕여 보였다. 그 모습에 다른 이들은 토끼 눈이 되었고 고문이 눈을 부라리며 대남에게 말했다.

"도대체 무슨 생각으로 그따위 인터뷰에 응한 거지!"

"제가 못할 말이라도 했습니까?"

"시보 생활 마지막 날이라고 이제 뵈는 것도 없나? 완전히 나에 대해서 곡해한 기사를 적어놨더군. 자네가 그러고도 법조인의 길을 걷고 있다고 할 수 있나?"

"곡해라니요, 있는 그대로를 말씀드린 건데 말이죠. 녹취록을 여기서 한번 켜볼까요?"

"……!!"

대남의 말에 고문의 표정이 붉게 달아올랐다. 주변 변호사들은 숨 막히는 분위기 속에서 제대로 입을 열지도, 자리에 앉지도 못하고 어쩔 줄 몰라 했다.

"평소 고문실에 앉아 엉덩이를 떼기 싫어하시던 분이 급하긴 급하셨나 봅니다. 일개 변호사 시보를 만나기 위해서 여기까지 행차를 다 하시고 말이죠. 아, 마지막 날이라고 편의를 봐주신 겁니까?"

"이, 이놈이!"

"저는 오늘 이렇게 태강을 나서지만, 남아 계신 선배 변호사들께서는 참 곤혹스럽겠습니다. 태강의 정신적인 지주이자, 실세인 김태호 고문께서 국민들을 개돼지 취급하는 발언을 하셨으니 말입니다."

"……"

소속 변호사들은 말없이 고개를 숙였다. 오늘 아침 신문에 실린 김태호 고문과 관련된 기사들은 사실이 아닐 거라 내심 생각했었다. 하나 작금의 상황을 보자면 진실로 방향이 흘러가고 있었다. 평소 고문의 이미지와는 상반되는 모습에 실망감과 허탈함은 자연히 뒤따랐다.

"고지철 변호사께서는 아시지 않으십니까, 김태호 고문이 얼마나 무정한 사람인지 말입니다. 수단과 방법을 가리지 않는 것은 물론이고 때에 따라서는 십수 년을 함께 동고동락한 부하 직원에게 총대를 메게 할 정도로 말이죠."

"……!"

대남이 갑작스럽게 고지철 변호사에게 질문을 가하니 2팀 전체가 황망한 기색이 역력했다. 일전에 대남이 거칠게 내뱉었던 말들이 전부 사실이라는 말인가.

모두의 이목이 집중된 가운데 고지철이 입이 힘겹게 열리려던 그 순간, 김태호가 앞장서 나섰다.

"허튼소리 하지 마! 네놈이 태강에서 얼마나 생활을 했다고 선배 변호사들을 비롯해서 나를 조롱하는 겐가. 온 사방에서 널 추켜세워 주니 이 자리에 있는 수많은 법조인이 네놈보다 아래로 보이는가!"

"이 자리에 있는 수많은 법조인을 손바닥 병정으로 생각하는 건 고문님이지 않습니까. 말씀은 똑바로 하셔야죠. 그리고 꼭 오래 있어야만 더러움을 알 수 있나요? 겉으로 보이는 것이 이 정도인데 속을 뒤집어보면 얼마나 역겨울지 상상도 가지 않습니다."

"허."

대남은 고문과의 대화에서 한 치도 밀리지 않았다. 그 모습에 주변 변호사들은 눈알을 굴리며 눈치를 살피기 시작했고 한혜진은 발만 동동 굴리고 있었다.

"정 그러시면 저랑 내기를 하시죠, 만약 조민관 검사장이 법정에서 무탈하게 풀려난다면 제가 태강의 저력을 인정하고 법조계에서 떠나겠습니다."

"법조계를 떠난다? 만약 자네가 이기기라도 한다면 나도 법조계에서 떠나야 한다는 것처럼 들리는데 말이야. 그건 너무……."

"그럴 필요 없으십니다. 어차피 법정에서 볼 사이가 아니겠습니까. 피고인으로 모실 때는 친절하게 대해드리죠."

"……!!"

김태호 고문을 피고인으로 법정에 세우겠다는 대남의 발언에 2팀 전체에 태풍이 불어 닥친 듯했다. 하지만 거기서 끝이 아니었다.

"제가 말하지 않았습니까, 다음은 김태호 고문이라고 말입니다. 이렇게 태강에서의 생활은 한 줄기 바람처럼 흘러갔지만 다음에 볼 때는 아닐 겁니다. 수인복을 입은 김태호 고문의 모습이 참 고대됩니다."

"이, 이놈이!"

목덜미를 잡는 김태호의 곁을 스쳐 지나가며 대남이 말했다.

"그럼, 법정에서 봅시다."

- 4장 -
정상의 궤도(1)

　대남이 김태호 고문을 스쳐 지나간 뒤, 2팀 내에선 말로 형용할 수 없는 적막감만이 감돌고 있었다.

　그 누구도 먼저 말문을 열지 못했다. 고문은 얼굴이 붉어질 대로 붉어진 채 문밖으로 사라졌다.

　고문이 자리를 비우고 나서야, 2팀 소속 변호사 중 누군가가 입을 열었다.

　"우리 정말 괜찮은 거 맞아⋯⋯?"

　답을 알 수 없는 질문만이 공허하게 메아리쳤다. 2팀 소속 변호사들의 시선이 일제히 고지철을 향했다.

　선임 변호사로서 무슨 말이라도 해주길 바라는 듯한 시선이었다. 하나 고지철은 망부석이라도 된 것처럼 자리에 우두커니 서서 고개를 떨궜다.

"대남 씨, 같이 가요!"

한혜진이 눈치를 살피다 얼른 2팀 밖으로 몸을 빼내었다.

시보 생활의 마지막 날이었기에 그나마 화기애애하게 끝날 줄 알았건만 오히려 평소보다 더욱 냉랭한 분위기 속에서 파했다. 그녀는 얼른 대남의 옆으로 다가간 뒤 말했다.

"정말 태강에서의 생활이 끝났네요. 유종의 미는 거두지 못했지만 그래도 속이 후련해요. 대남 씨는 어때요?"

"찝찝합니다."

"찝찝하다고요……?"

한혜진은 대남이 여태껏 속에 말을 담아두는 성격이 아니라 생각했다. 그 누구 앞에서도 거침이 없고 매사 솔직했으며, 현실을 냉정하고도 정의롭게 직시했다.

한데 '찝찝하다'라, 과연 그도 김태호 고문을 몰아붙인 사실이 내심 마음에 걸리는 것일까.

"태강이 아직 제자리에 있지 않습니까."

"네?"

"이곳은 비리의 숲이라 불릴 만큼, 구성원 모두가 작고 큰 부정을 저질렀습니다. 법조인으로서 사회의 정의를 실천하기보다 돈을 좇으니, 문제가 생길 수밖에 없지요. 다만 그 뿌리가 너무나도 깊게 내려져 있어 단칼에 베어낼 수 없다는 사실이 찝찝합니다."

대남은 김태호 고문을 몰아붙인 사실이 마음에 걸리는 것이 아니라, 끝장내지 못했다는 사실이 마음에 걸리는 듯했다.

물론 시보로서는 할 수 없는 일이었고, 일개 법조인이 개인으로서 해낼 수 없음도 분명한 사실이었다.

하지만 한혜진은 옆을 마주 걷고 있는 대남의 모습을 바라보며 그것이 불가능하지 않을 수도 있다고 생각했다.

"고지철 변호사님은 어떻게 될까요? 그래도 2팀의 수장이신데."

"고지철 변호사 말입니까."

"……네."

까칠하기는 했으나 2팀의 팀장이었다. 선임 변호사이자 시보 생활의 지도 변호사였기에 한혜진과 대남에게 의미하는 바가 컸다.

대남은 고지철을 머릿속으로 떠올렸다. 서울구치소를 다녀온 이후로 그의 심경에는 분명 큰 변화가 있었다.

대남은 그가 내린 선택을 존중해 주었다. 하나, 그게 다였다. 그는 끝내 실수를 정정하지 않았다. 대남은 한혜진에게 들릴 듯 말 듯 말했다.

"실패를 하고 나서야 후회하는 법입니다."

태강 법무법인에서의 변호사 시보 생활이 끝났다.

짧은 기간이었지만 대남은 태강의 많은 면모를 지켜볼 수가 있었다. 법무법인의 이로운 점보다는 해로운 점만을 봐온 나날이었기에 시보 생활이라 치기에는 무의미했다.

대남은 서울중앙지방법원으로 차를 몰았다.

"대남 씨!"

미리 기다리고 있던 한혜진이 손을 번쩍 들어 보였다.

그곳에는 먼저 도착해 있던 사법연수원 동기들이 즐비하게 서 있었다. 그들은 각자 대남을 쳐다보다 이내 수군거리기 일쑤였다.

누군가는 경계하는 눈빛이었고 또 다른 이는 선망에 가득 찬 눈빛으로 대남을 바라봤다.

"이제 마지막 시보 생활이네요. 법원은 대남 씨도 생소하죠?"

한혜진의 물음에 대남은 고개를 끄덕여 보였다. 법관직은 같은 법조인이라고 할지라도 생소할 수밖에 없었다.

다른 이들에 비해 직업 반경이 법원에 제한되어 있었고, 무엇보다 법리적인 해석을 통해 판결을 내리는 자리인 만큼 고도의 법률 지식을 요했다.

"판사 시보 생활은 어떨까요?"

"들어서 알고 계시지 않습니까."

"……그거야 그렇지만."

판사 시보 생활에 관해선 사법연수원 내에서도 익히 알려져 있다. 검찰, 변호사 시보 생활과는 상반되게 담당이 배정되는 것이 아닌, 사법연수원 연수생들이 모여 배당되는 법원 실무 수습 업무를 해결하는 형식적인 생활의 나날이었다. 누군가에게는 아주 자유로운 시보 생활일수도, 또 다른 이에게는 지루함의 연속이라고 말할 수 있었다.

얼마 지나지 않아, 판사 시보들을 관리할 이가 나타났다.

"다들 반갑군. 서울지법의 부장판사 김동주라고 하네. 이번 사법연수원 24기 판사 시보들은 오늘부터 내 관리 하에 배정되는 실무 업무와 사법연수원에 제출할 서류를 작성하면 된다네. 다른 시보 생활에 비해 자율적이고, 크게 규칙적인 생활은 아니기에 여러분들이 각자의 노력 고하에 따라 성과를 얻을 수 있을 거라 생각되는군."

김동주 부장판사의 말을 시보들은 경청해서 들었다. 부장은 고개를 들어 시보들을 훑어보다 이내 한 명을 발견하고는 눈을 빛냈다.

"이번 시보 기수에 유명인사가 포섭되어 있다고 하더니, 바로 자네였구만."

부장이 지칭하는 유명인사가 누구인지 이 자리에 있는 기수들은 모르지 않았다. 일제히 그들의 고개가 돌려졌다.

대남은 저에게로 집중된 시선에 아무렇지 않았지만 옆에 서 있던 한혜진은 몸 둘 바를 몰랐다. 부장은 대남을 바라보며 나직이 말했다.

"동부지검에서 검사장을 잡아내고, 대한민국 최대의 법무법인이라 일컬어지는 태강에서는 고문의 뒷모습을 낱낱이 까발리다니 정말 대단한 시보야. 자, 이번 서울지법에서는 어떤 활약을 할지 정말 기대가 되는군. 어떻게 내 기대에 부응해 줄 텐가, 김대남 시보."

"노력하겠습니다."

"……!!"

애써 말을 돌릴 줄 알았던 시보들을 생각과 달리 대남은 흔쾌히 부장의 말에 응해 보였다. 하나 그러한 자신감은 과도해 보이지 않고 오히려 당당해 보이기까지 했다. 부장의 눈가가 흥미롭게 휘어졌다.

서울지법에서의 생활은 평안, 그 자체였다. 법원 실무 업무라고 해도 형식상에 얽매인 업무들이 전부였기에 대부분의 시보들은 직속 선배들을 찾아가 인사를 하거나, 사법연수원 시험을 대비해 공부를 하기 일쑤였다.

"······저, 대남 씨, 이것 좀 도와주실 수 있겠습니까?"

이따금 시보들이 맡기에 어려운 실무 업무가 배정되었을 때에는 동기들은 사법연수원에서와 마찬가지로 대남을 찾아왔다.

처음에는 시보 직함으로 과도하게 언론에 노출된 대남에게 쉽사리 접근할 수 없었던 이들도 막상 어려움에 닥치자 안쓰러운 표정을 한 채로 다가왔다.

"싫습니다."

"네?"

"본인이 할 수 있을 때까지 해보십쇼. 부장판사님이 시보들이 하지 못할 업무를 내리지는 않았습니다. 그저 하기 힘든 업무를 내렸을 뿐이죠. 노력하면 가능합니다."

대남은 일전과 다르게 그들의 제안을 완곡히 거절했다.

사법연수원에서야 기수들마다 법률 지식의 차이가 있었고, 교수들이 내주는 문제 또한 난이도가 천차만별이었다. 하나, 법원 생활에서 주어지는 업무들은 시보들이 맡기 벅찰 뿐이지, 못해낼 업무들도 아니었다.

"거참, 조금 도와주면 덧나나. 너무 하잖아. 언론에 얼굴 좀 비쳤다고 너무 콧대가 높아진 거 아니냐고."

적반하장으로 대남에게 성을 내는 이도 있었다. 한혜진은 옆에서 어쩔 줄 몰라 하는 표정이었지만 대남은 묵묵히 듣고 있다 사내가 말을 끝내자 자리에서 일어났다.

"무식한 건 티 내지 말아야지."

"뭐?"

"어미 새에게 먹이를 받아먹는 새끼 새처럼 구는군."

대남의 말에 사내가 거센 콧김을 내쉬었다. 주위에 있던 동기들마저도 상황이 어떻게 흘러갈지 몰라 의미심장한 표정으로 지켜보고 있었다.

대남은 자신에게 부탁을 했던 동기들을 바라보며 말했다.

"내가 사법연수원에서 붉은 펜으로 불리며 당신들을 도와줬던 이유는 단 한 가지였습니다. 당시에는 사법연수원에서 법률 지식을 수학함에 어려움이 많았고 절실함이 가득했었습니다. 함께 법조계의 길을 걸어갈 법조인으로서 당연히 도와야 한다고 생각했고요. 그러나."

"……"

"지금 당신들의 모습을 돌이켜 보십쇼. 이제 곧 있으면 사법연수원을 수료할 텐데, 처음과 달라진 모습이 있습니까?"

대남의 말이 이어질수록 사내와 동기들의 표정이 점차 어두워졌다.

막연히 어려운 업무가 생기면 어떻게든 대남에게 부탁을 해보면 된다고 생각하고 있었던 자신들이 책망스럽게 느껴졌을 터였다. 대남은 그들을 바라보며 단호하게 말했다.

"평생 법학도로 남을 겁니까."

김동주 부장판사는 자신의 밑으로 들어온 판사 시보 김대
남을 높이 샀다.

법률 지식은 물론이고 재능과 타고난 카리스마는 타의 추
종을 불허했다. 법원 생활 중 동기들과 있었던 트러블은 부장
도 익히 들어 알고 있었다.

"'법학도로 남을 생각인가'라."

대남의 말은 부장의 마음조차도 흔들리게 했다. 법학도와
법조인은 같은 법률을 수학함에 틀림이 없지만, 그 이름이 가
지는 무게는 달랐다.

부장은 자신이 진정한 법조인인지를 되새겨볼 수밖에 없었
다. 소를 희생시키며 대를 만족시키지는 않았는지, 자신이 내
린 판결이 여태껏 정의로웠는지를.

그 순간, 집무실의 문밖으로 노크 소리가 들려왔다.

"들어오게나."

부장의 말에 대남이 문을 열고 들어섰다. 정기적으로 가지
는 부장판사와의 면담이었다.

다른 시보들과 다르게 대남에게선 긴장한 기색이 느껴지지

않았다. 평소 같았으면 의아했을 부장도 김대남이라는 인물에 관해선 다르게 생각했다.

"자네에 관해서는 많은 이야기를 들었네, 동부지검의 김필재 부장검사가 바로 내 사법연수원 동기일세. 자네에게 목숨값을 빚졌다고 하던데 말이야. 그 점에 관해서는 정말 고맙게 생각하더군. 내일이면 조민관 검사장에 관한 공판이 열릴 터인데 어떻게 될 것 같은가, 자네가 했던 법률저널 인터뷰에서처럼 사형인가?"

"그 점에 관해 제 생각은 변함없습니다."

"허, 정말 호기롭군. 솔직히 말하면 나 또한 조민관 검사장이 최고 형량을 받았으면 하네. 하지만 마음대로 돌아가지 않는 것이 세상사야. 만약 검사장이 풀려나게 된다면 가장 위험해지는 건 바로 자네 같은 일선에 있던 자들일세."

부장은 대남이 대견했지만, 한편으론 위태로워 보였다. 혹여나 조민관이 풀려나게 되어 앞으로 법조계에 이바지할 원석을 훼손하는 것은 아닌가 하고 말이다.

혹자들이 말하지 않는가, 무모한 정의에는 그만큼의 대가가 따른다고.

"부장님께서는 법관의 자리에 오랫동안 계셨으니 잘 아실 테지요. 조민관이 풀려날 것 같습니까?"

"앞선 정·재계 거물급 인사들의 형 집행만 보아도 알 만하지 않은가. 우리나라의 법은 권력가들에게는 그다지 큰 구속력이 없네."

"그 점에 관해서는 걱정하지 않으셔도 좋습니다. 조민관은 더 이상 권력가가 아니니까요."

대남은 자세한 속사정을 부장에게 밝히지 않았다. 부장판사 또한 그 사실을 눈치챘는지 고개를 천천히 끄덕여 보였다.

그러고는 곧장 고개를 들어 눈앞의 대남을 바라봤다. 검사장에 관한 공판이 하루 남았지만 대남은 초조해 보이지도, 긴장하거나 두려워하는 기색도 없었다. 저라면 그럴 수 있을까, 부장의 머릿속에 의문이 들어찼다.

"자넬 그렇게 움직이는 원동력이 무엇인지 물어봐도 되겠나."

"원동력이랄 게 따로 있겠습니까. 비정상적인 세상 속에서⋯⋯."

이어지는 뒷말에 부장은 크게 탄성을 터뜨릴 수밖에 없었다.

"정상적으로 움직이고 있는 것뿐입니다."

"정상적으로 움직이고 있을 뿐이라⋯⋯."

탄성을 터뜨린 김동주 부장판사는 대남이 했던 말을 곱씹어 생각해 봤다.

3당 합당이 이뤄지고 문민정치의 초석이 깔렸다고 평가될 정도로 대한민국은 많은 변화를 겪었다. 하나, 내부적으로는 아직도 곪아 있는 것이 사실이었다.

상황이 이렇다 보니 헌법에 의해 사법권을 행사해야 할 법원이라고 다르지 않았다. 부장은 고개를 들어 대남을 바라봤다.

"결심공판이 내일이라지? 검사장은 검찰의 구형만을 기다리고 있겠군. 동부지검은 지금 어떤 분위기일지 상상이 안 가. 자네는 어떨 것 같나."

"평소와 다름없지 않겠습니까, 범법자는 죗값을 치러야 하는 게 당연한 거니까요."

"내일이 검찰의 분기점이 될 거라는 생각은 안 해봤나?"

대남은 부장의 말에 고개를 주억거렸다. 헌정 이래 검찰에선 사상 초유의 사태가 벌어진 것이나 다름없었다.

동부지검의 수장이었던 검사장이 연쇄살인 혐의로 재판에 서게 되었고, 그 칼잡이가 바로 동부지검의 검사들이었다.

부장은 이러한 파격적인 사건을 앞에 두고 대남이 어떠한 심정일지 궁금했다.

"시보라는 직함으로는 믿기지 않을 정도로 자네는 잘 해내주었네, 어떻게 보면 검찰이 변화할 수 있도록 도화선에 불을 지핀 격이 아닌가."

"부장님께서는 그렇게 생각하시고 계십니까?"

"그럼, 자네는 다르게 생각하는 겐가?"

동부지검은 이미 혁신적인 변화를 맞이하고 있다 해도 과언이 아니었다.

특히 형사3부에서는 이미 검사장의 악랄한 행위들이 하나둘 밝혀짐에 따라 강현욱 부부장검사에게 힘을 실어주는 검사들이 늘어나고 있는 실정이었다.

이전의 내부 고발들과는 차원이 다른 움직임이라고 할 수 있었다. 하지만 대남은 이내 고개를 저어 보였다.

"이 정도로는 부족합니다. 고작 해봐야 조민관 하나입니다."

"……!"

"뿌리 깊게 내려진 검찰 내부의 악행을 고발하자면, 조민관 검사장 하나로는 해결되지 않을 것입니다."

"지금 검사장을 잡을 수 있을지 없을지 채 판결이 내려지지도 않은 상태에서 검사장 한 명으로는 '부족하다'라. 내가 보기엔 지금으로서도 검찰은 역사상 이뤄내지 못한 진일보를 일궈내려고 하는데 말이야."

부장은 진심으로 대남의 말에 감탄을 터뜨렸다.

대남의 눈빛에는 조금의 흔들림도 없었다. 법조계에 발을 제대로 담가 보지도 못한 시보가 어찌 저토록 담담할 수 있을까 부장은 놀라웠고, 동시에 눈앞의 대남을 보고 있자니 자신이 여태껏 무엇을 하며 살아왔는지까지 생각이 미쳤다.

"내 생각이 짧았군그래. 검사장 하나로는 부족하겠지. 하나."

"……."

"그 총대를 멜 수 있는 사람이 과연 검찰에 존재하겠나?"

부장의 물음이 공허하게 집무실 안을 가득 들어찼다.

대남이 쉽사리 말을 잇지 못하자, 부장은 지그시 눈을 감았다.

조민관 검사장에 관한 사건 또한 웬만한 담력과 집념이 아니면 실천하기 힘든 일이었다. 그것만으로도 이미 박수받을 만했다.

대남이 일반적인 시보보다 뛰어나다고 해서 자신이 너무 곤란한 질문을 한 것이 아닐까 부장은 감았던 눈을 천천히 떴다.

그 순간, 대남이 닫혀 있던 말문을 열었다.

"시계 바퀴가 맞물려야 움직이듯 지금 검찰과 정·재계는 긴밀한 유지 관계를 접하고 있습니다. 전부는 아닐 테지만 상당수라는 것은 부장님 또한 잘 알고 계실 거라 믿습니다. 설령 조민관이라는 부품 하나를 빼버린다고 한들, 또 다른 대체품이 그 자리를 채우게 마련입니다."

"……그렇지."

"여태껏 내부 고발을 실천했던 검찰 인사 중 상당수가 좌천을 당했습니다. 지금 당장 동부지검의 강현욱 검사를 보아도 그러하고, 사법연수원의 이재학 교수님을 봐도 그렇습니다. 이러한 상황에서 총대를 멜 자를 찾는 것은 비겁한 변명일 뿐이지 않습니까."

대남은 부장을 직시했다. 한없이 깊어 보이는 눈동자 뒤로는 어떠한 감정이 숨겨져 있는지 가늠조차 되지 않았다.

하나 부장은 지금 자신이 실수를 했다는 것을 깨달았다. 자신만 하더라도 나서 총대를 메지 못하는데, 누굴 찾는단 말인가.

"부장님의 입장을 이해 못 하는 것은 아닙니다. 대부분의 검찰 인사들은 시보 때만 하더라도 정의로움에 불탔을 겁니다. 하나 시간이 흘러감에 따라 현실에 타협하고, 구겨지고, 오염되어 갔겠지요. 저는 굳이 총대를 멜 사람을 찾을 필요는 없다고 봅니다."

"……."

"저부터 움직일 생각이니까요."

"……!!"

부장의 놀란 눈동자를 뒤로 한 채 대남은 계속해서 말을 이었다.

"내부 고발을 진행하고도 멀쩡하게 살아남은 이들이 없으니 다들 쉬쉬하고 떠는 거 아니겠습니까. 부장님 또한 혹여나 자신에게 돌아올 피해를 생각하시지 않습니까?"

"……부인할 수가 없군."

"저는 다릅니다."

"무엇이?"

"내부 고발을 진행하고 나서도 잘 살 자신이 있습니다. 앞을 가로막고 있는 것들이 있으면 밟고 지나가면 그만입니다. 저는 범법자들을 용서할 생각이 추호도 없습니다."

부장은 대남과 자신의 그릇의 크기가 다르다는 것을 인정할 수밖에 없었다. 자신이 총대를 대신 멜 이를 찾을 동안, 대남은 자기 스스로 트리거가 되어 모든 이들의 마음에 방아쇠를 당길 작정이었던 것이다.

"자네를 보고 있자니 내 자신이 너무나도 초라해지는군, 혹 두렵지는 않나?"

부장의 물음에 대남이 자리에서 일어나며 말했다.

"두려워해야 할 건 제가 아닙니다."

서울중앙지법은 아침부터 소란스러울 수밖에 없었다. 금일은 조민관 검사장에 관한 결심공판이 벌어지는 날이었다.

법원 로비에는 기자들과 방청권을 얻기 위한 일반인들의 행렬로 장관을 이루었다. 또한 경찰 병력까지 배치되니 세간의 관심을 끌고 있는 사건임에 틀림이 없었다.

"대남 씨, 오늘 검사장 결심공판 참관하시죠?"

"당연히 해야겠죠, 그래도 판사 시보라는 직함이 이럴 때는 유용하군요."

"그러게요, 판사 시보는 다행히 재판 참관이 가능하니까요. 그런데 오늘따라 법원 분위기가 냉랭한 게……."

판사 시보들은 검사장 공판과 관련해서인지 대남의 시선을 회피했다.

한혜진은 그러한 이들을 보며 눈을 흘겼다. 필요할 때만 부탁을 하고 저들이 위험해질 것 같으니 곧장 모르는 척하지 않는가. 하나, 대남은 그들이 어떠한 생각을 하고 있든지 개의치 않아 했다.

"재판장으로 갑시다."

짧은 말만 남기고 대남이 앞서 나가자, 한혜진이 그 뒤를 바짝 따라 걸어갔다.

결심공판이 벌어질 법정 안은 오뉴월의 열기와는 상반되게 차가운 냉기가 흐르고 있었다.

대남과 혜진은 방청석의 한편에 앉아 참관을 하기 시작했다.

이윽고 수인복을 입은 검사장이 걸어 나오자 여기저기서 야유 소리가 터져 나왔다. 한혜진은 검사장의 모습을 바라보다 대남에게 작은 목소리로 말했다.

"그래도 마음고생을 했나 본데요, 얼굴이 홀쭉해진 게."

"고생 정도로 되겠습니까."

이어지는 뒷말은 다른 자리에 앉은 시보들마저 들릴 정도였다.

"아직 갈 길이 멉니다."

"……!!"

대남은 시보들의 시선을 받아내며 변호인석과 검사석을 번갈아 바라봤다. 검사장의 변론석에는 태강의 고지철과 2팀 소속 변호사들이 줄지어 자리했다.

고지철은 방청석에 있던 대남과 눈이 마주치자 황급히 고개를 돌렸다.

검찰 측에선 동부지검 형사3부 강현욱 검사가 직접 나섰다. 수사와 공판을 동시에 책임진다는 것이 고되었지만 그의 얼굴에는 투지가 불타오르고 있었다.

판사가 자리에 앉음과 동시에 시작된 결심공판은 그야말로 치열한 접전을 방불케 했다.

"현재 검찰에선 조민관 씨에게 연쇄살인 혐의라는 터무니없는 죄명을 뒤집어씌워서 풀리지 않은 미제사건을 해결하려 하고 있습니다. 연쇄살인에 대한 정확한 물증이 나오지 않았으며, 여타 다른 혐의점들조차도 아직까지 밝혀지지 않은 것이 수두룩합니다. 한데 이러한 상황에서 불완전한 증거들과 심증

만을 가진 채 구형을 내린다니요. 말도 되지 않습니다. 무죄를 주장하는 바입니다."

"이의 있습니다! 지금 변호인은 터무니없는 주장을 하고 있습니다."

"터무니없는 것은 검찰이겠지요! 없는 누명까지 만들어 씌우는 이런 파렴치한 행위를 용납해서는 안 됩니다."

고지철은 꿋꿋이 검사장을 변론해 나갔다.

강 검사와 고지철의 엎치락뒤치락 설전이 오가는 가운데, 검사장의 얼굴에는 점차 희미한 미소가 담기고 있었다.

결심공판의 판사는 얼굴에 고민하는 기색이 역력했다. 사건의 중죄를 따지고 보면 중형을 피하기 어려웠으나, 검찰에선 정확한 물증을 찾지 못한 상태였고, 더군다나 피고인이 전검찰의 수뇌부였으니.

"잠시 삼십 분간 휴정을 가지도록 하겠습니다."

판사의 말에 그제야 법정 안을 가득 메우고 있던 긴장감이 조금이나마 풀리는 듯했다.

여기저기서 한숨 소리가 터져 나왔다. 방청석에 앉아 있던 일반인들은 대놓고 검사장과 변호인들을 향해 야유를 하는 이들도 있었다. 기자들은 그 순간을 놓치지 않고 수첩에 모든 것을 담아내었다.

"잠깐 나 좀 볼 수 있을까."

불현듯, 고지철이 대남을 찾아왔다. 휴정 시간 내내 2차 변론을 준비해도 모자랐건만 그는 짧은 시간을 내어 대남을 만나기를 원했다.

대남은 고지철을 따라 인적이 드문 법원 옥상으로 걸음을 옮겼다.

적막감이 감도는 가운데, 먼저 말문을 연 것은 고지철이었다.

"……미안하다. 하지만 내게 있어 신념은 이것뿐이다. 태강을 벗어나면 난 변호사로서 살아남지 못해."

"알고 있습니다."

"……"

고지철은 낙담한 표정이 되어 입에 담배를 말아 물었다. 대남은 그 곁을 묵묵히 지키고 있다가 담뱃대가 반쯤 타들어 갔을 무렵, 입을 열었다.

"변호사님께서는 두 번의 실수를 하셨습니다."

"두 번의 실수라……."

"첫 번째는 법무법인 태강에 발을 들인 것이 실수이고, 두 번째는 조민관의 변론을 끝까지 포기하지 않았다는 점입니다. 만약 포기했다면 커리어 높은 변호사로서의 생활은 끝났을지 모르나."

대남은 뒤돌아서며 나직이 말했다.

"법조인으로서는 살아갈 수 있었겠죠."

삼십 분간의 휴정이 끝나고, 재판이 속개되었다.

그간 꽤 오랫동안 수사가 진행되었음에도 검찰에서는 연쇄살인 혐의에 대한 정확한 물증을 공식적으로 발표하지 못했다.

태강 측 변호인단은 그 점을 집요하게 파고 들어갔다. 방청석이 술렁이는 것은 어쩔 수 없었다. 이대로 가다가는 조민관 검사장에 관한 구형이 제대로 이뤄질 리 만무했기 때문이다. 한혜진의 표정 또한 점차 시퍼렇게 질려가고 있었다.

"판사님, 검찰 측 증인 입정을 요청하는 바입니다."

그 순간, 강 검사가 상석의 판사를 바라보며 외쳤다. 판사가 의아한 눈빛으로 되물었다.

"검찰 측 증인은 이미 전부 퇴정을 하지 않았습니까?"

"재정증인을 요청하겠습니다."

"……!!"

강 검사의 말 한마디에 변호인석은 물론이고, 방청석마저 술렁였다. 고지철은 황급히 손을 들어 보였다.

"이의 있습니다! 지금 검찰 측에선 재판 전 합의되지 않은 증인을 요청하고 있습니다. 이에 관해서는……."

"아닙니다, 재판 전 합의가 이루어져 있지 않다고 하더라도 형사소송법 제154조에 의거해 본 검사는 이번 결심공판에 결정적인 역할을 수행해 낼 재정증인을 요청하는 바입니다!"

"그만. 변호인은 자리에 앉으세요. 검찰 측의 요구를 수용하겠습니다."

판사의 단호한 말에 고지철은 황망한 표정으로 자리에 다시 앉을 수밖에 없었다. 저들이 유리하게 이끌어가고 있던 싸움의 연속이었다. 한데 검찰에서 갑자기 비장의 한 수를 꺼낸 것이나 다름없었다.

기자들은 침을 꿀꺽 삼켰다. 과연 어떤 증인이 등장일까, 모두의 궁금증이 증폭되던 가운데 강 검사가 자리에서 일어나며 외쳤다.

"재정증인은 입정해 주시길 바랍니다."

강 검사의 말이 끝남과 동시에 한혜진의 고개가 절로 옆으로 돌아갔다.

"대, 대남 씨……?"

한혜진의 떨리는 목소리와 함께, 대남이 자리에서 일어났다. 한혜진의 얼떨떨한 시선과 함께 기자들의 눈이 부릅떠졌다.

변호인석에 있던 고지철은 입을 벌린 채 그 광경을 지켜볼 수밖에 없었다.

마치 홍해가 갈라지듯 법정을 메운 사람들은 대남이 증인석으로 걸음을 옮기는 그 장면을 놀라움에 가득 찬 시선으로 목도하고 있었다.

"본인이 검사 측에서 주장하는 증인이 맞습니까."

"그렇습니다."

판사의 물음에 대남이 긍정을 표시하자 여기저기서 탄성 소리가 더해졌다.

피고인석에 앉아 있던 검사장은 사시나무처럼 손을 떨며 눈가의 핏대가 터지도록 대남을 노려보고 있었다.

기자들은 그 광경을 놓치지 않고 모든 것을 담아내기 위해 펜을 잡은 손이 쉴 새가 없을 지경이었다.

"그럼 형사소송법 제157조에 의거해 법정 증인 선서를 실시하도록 하겠습니다. 증인은 증인석에서 기립하여 본 탁상에 예시된 증인 선서문을 본 법정에 선언해 주시길 바랍니다."

"선서, 양심에 따라 숨김과 보탬이 없이 사실 그대로 말하고 만일 거짓말이 있으면 위증의 벌을 받기로 맹세합니다."

법정에 엄숙한 적막감만이 흐르는 감도는 가운데, 대남이 증인 선서를 낭독했다.

한혜진을 비롯한 사법연수원 시보들은 이 믿기지 않는 광경에 혹여 자신들이 헛것을 보고 있는 것은 아닐까, 눈가를 연신 비벼댈 뿐이다.

그 순간, 검찰 측에 앉아 있던 강 검사가 자리에서 일어나 대남을 바라보며 질문했다.

"김대남 씨는 현재 본 법원의 판사 시보로서 맡은 바 직책을 수행하고 있다는 것을 알고 있습니다. 하지만 불과 삼 개월 전엔 동부지검 검사 시보였죠. 그때 조민관 검사장과 관련한 사건들의 피해자를 만난 적이 있습니까?"

"있습니다."

"그렇다면, 본 사건과 관련해 확정적인 물증을 비롯한 혐의점의 공백을 메울 만한 간접증거를 가지고 있습니까?"

"네."

대남의 짧은 말 한 마디에 법정이 크게 술렁였다.

고지철의 눈동자는 더 이상 커질 수 없을 거라 생각될 정도로 확장되었다.

갑작스러운 검찰 측의 재정증인 등장으로 태강 변호인단은 난리가 날 수밖에 없었다.

곧장 정신을 차린 고지철이 급히 손을 들어 보였다.

"증인! 본 사건과 관련해 확정적인 물증이라 한다면 왜 사전에 제출을 하지 않은 것입니까! 저희 측에서는 증거물에 관한 신빙성 여부를 살피는 게 우선이라 생각합니다. 검찰 측에서 재정증인을 요청했을뿐더러 증인이 소지하고 있다고 주장하는 물증에 대해서는 검증조차 이뤄지지 않은 상태입니다!"

"제출할 수가 없었습니다."

"그게 무슨 말입니까……?"

대남은 고지철을 지그시 바라봤다. 고지철의 눈동자는 그 어느 때보다 흔들리고 있었다. 필사적으로 검찰의 증인 채택을 막아야 한다는 생각이 그의 머릿속에 가득한 듯했다.

대남은 그러한 고지철을 향해 조소를 머금으며 말했다.

"태강, 그리고 조민관 검사장이 존재하기에 제출을 할 수가 없었습니다."

"……!!"

대남의 말에 모두가 놀랐고, 판사가 급히 운을 띄웠다.

"증인, 태강 법무법인과 피고인 때문에 물증을 제출할 수가 없었다니요. 지금 그게 무슨 말입니까?"

"판사님. 저는 사법연수생의 신분으로 현재 검찰, 법무법인, 법원을 순회하며 시보 생활을 하고 있습니다. 제가 법조계에 잠시나마 몸담으면서 느꼈던 점은 그 어떤 사회보다, 이곳이 폐쇄적인 공간이라는 점이었습니다. 태강과 조민관 검사장은 그러한 폐쇄적인 공간에서 상당히 높은 지위를 영위했던 이들이고요."

"……증인의 말은 잘 알겠으나, 본 법원이 납득이 되도록 구체적으로 설명을 해주셨으면 좋겠습니다."

판사 또한 부정할 수는 없는지 침음 섞인 목소리를 내뱉었다. 대남은 묵묵히 고개를 끄덕여 보이다 이내 장내를 훑었다.

방청석의 수많은 사람이 대남을 바라보고 있었고, 고지철과 검사장은 대남의 입에서 어떠한 말이 흘러나올지 몰라 식은땀을 흘리고 있었다.

"부자는 망해도 삼 년은 간다고 했습니다. 하물며 동부지검의 수장이었던 피고인이 제아무리 범법 행위를 저질러 구속 수사를 받았다고 하나, 자신의 손바닥 아래였던 동부지검에서 증거물 하나 소리소문없이 없애지 못하겠습니까. 아직도 검찰 내부에서는 직속상관을 내부 고발한 동부지검 형사3부를 싫어하는 이들이 존재합니다."

"지금 증인께서는 피고인이 물증을 훼손시켰다고 말씀하시는 겁니까?"

"그렇습니다."

"이의 있습니다! 지금 증인의 말은 오만방자하기 그지없습니다. 아무리 현재 피고인이 누명을 쓰고 범법자의 신분으로 재판을 받고 있다고는 하나, 한평생을 검찰과 조국을 위해 살아왔던 사람입니다. 그런데 증거를 훼손하다니요! 이건 피고를 모욕한 것이나 다름없습니다!"

고지철이 급히 자리에서 일어나 목이 찢어져라 외쳤다. 어떻게 해서든 대남이 제출하는 증거에 관한 무효를 증명하려는 듯 그의 얼굴에는 다급함이 가득했다.

대남은 한 글자 한 글자에 힘을 주며 입을 열었다.

"사람도 죽인 사람이, 그깟 증거 하나 못 없애겠습니까."

"……!!!"

"증인은 말을 삼가세요."

"이번 사건은 일반적인 살인 사건과는 그 궤가 다릅니다. 일단 범죄 용의자로 체포된 이가 다름 아닌 연쇄살인 사건의 수사를 진행했던 동부지검의 전 수장이었으며, 그의 변론을 맡은 이들은 현 법조계에 막강한 권력을 자랑하는 태강입니다. 물증이 검찰에 있다고 한들, 고양이 손에 생선을 맡긴 꼴이 아니었을까요?"

판사의 얼굴에는 고민하는 기색이 역력했다. 고지철이 다시 입을 열려는 순간, 판사가 손을 들어 그를 제지했다.

"형사소송법 제154조에 따라 증거 채택을 진행하겠습니다. 그럼, 본 법정은 현 시간부로 재정증인의 물증을 검찰의 공식 증거 물품으로 수용합니다. 물증에 관한 검사가 필요할 시 향후 법원의 재량 하에 물증을 정밀 검측하도록 하겠습니다."

판사의 말이 떨어짐과 동시에 고지철이 자리에 무너지듯 주저앉았다.

대남은 그 기세를 몰아 첫 번째 증거를 들어 보이며 말했다.

"기자회견장에서 밝혔던 조민관 검사장과 김필재 부장검사의 녹취록 외 피고가 정치 인사와 나눴던 주요 녹취록입니다. 녹취에 등장하는 증인의 경우 현재 다른 수사 혐의를 받고 있기에 법정 출석이 불가피했다는 점을 미리 알립니다."

"잠깐, 증인, 정치권 인사라니요?"

"판사님께서는 아직 모르셨습니까? 현재 동부지검에선 조민관 검사장의 뇌물 수수 혐의와 더불어 정·재계 인사들의 청탁에 관련한 수사를 진행 중에 있습니다. 이 증거 또한 일련의 수사를 진행하다 확보한 것입니다."

대남의 말을 묵묵히 듣고 있던 강 검사는 미소를 지어 보였다. 동부지검 내에서 증거를 보존하기란 상당히 힘들다는 판단이 들었고, 위험을 대비할 만한 수단을 마련해야 했다. 믿을 만한 한 명, 결국 대남은 증거를 품은 채 태강과 법원을 돌아다닌 것이나 다름없었다.

'등잔 밑이 어둡지.'

강 검사가 묵묵히 속으로 쾌재를 부르짖던 그 순간, 대남이 제출한 또 다른 녹취록이 법정의 스피커를 통해 전파되었다.

-검사장, 요즘 홍월관, 기월관 딸내미들한테 반 협박을 당하고 있다면서 체면이 말이 아니겠어.

-그 이야기는 또 어디서 들으신 겁니까, 선배님.

-자네 공천 밀어주려고 당에서 이것저것 조사하는 거 모르나? 괜히 총선 전에 잡음 나올 만한 일은 만들지 않는 게 좋아. 긁어 부스럼 만들 필요는 없지 않은가.

-그 점에 관해서는 걱정 안 하셔도 됩니다. 조만간에 전부 해결될 문제입니다. 선배님, 제가 언제 또 한 번 크게 대접하겠습니다.

"홍월관, 기월관은 살해당한 두 여성이 일했던 화류 업소입니다. 녹취록의 대화로 짐작해 보건대 조민관 검사장은 충분히 피해자들을 살해할 만한 동기가 존재했다고 생각됩니다."

"이, 이 정도 녹취록으로는 제 범행을 입증하기 불가합니다! 지금 증인은 말도 되지 않는 소리를 하고 있소!"

조민관이 피고인석에서 벌떡 일어나 언성을 높였다. 법원 경위들이 곧장 목에 핏대를 세우는 조민관을 제자리에 앉혔다.

그는 자리에 앉고 나서도 한참이나 분이 풀리지 않는지 대남을 뚫어져라 노려보고 있었다. 대남은 그러한 검사장을 향해 말했다.

"과연 이것으로 증거가 끝일까요?"

"……뭐?"

"피해자들과 김필재 부장검사를 살해하기 위해 청부했던 청부 살인의 증거는 물론이거니와 결정적으로 경찰의 초동수사를 방해하기 위해 광진 경찰서장에게 검사장이 직접 압력을 가했다는 물증을 확보했습니다. 남은 물증들을 나열할까요?"

대남은 고개를 돌려 상석에 앉은 판사를 바라봤다.

"물증은 차고 넘칩니다. 피고는 현재 두 사람을 무참히도 살해했으며, 검찰 관계자를 살해하려 하였습니다. 한때 법조인이었다는 직함이 믿기지 않을 정도로 흉악한 범죄를 저질렀습니다."

"……"

"오늘 용기를 내어 재정증인으로 출석한 만큼 법원의 진실한 판결을 고대하는 바입니다."

대남의 말은 그야말로 폭풍의 씨앗이 되었다. 태강의 변호인단이 급히 자리에서 일어나 검사장을 변호하기 시작했고 그에 맞서 검찰 측도 가만히 있지만은 않았다.

"현재 피고 측 변호인단은 말도 안 되는 주장을 하고 있습니다. 이토록 많은 물증이 제출되었는데도 뻔뻔하게 피고의 무죄를 주장하다니요. 본인들은 변호인이기 이전에 정의로운 법률의 수행자가 되어야 할 법조인이라는 사실을 기억하시길 바랍니다!"

"검사 측에서 주장하는 증거들은 조작되었을 확률이 있습니다! 이에 관해 정밀 검측을 요구하는 바입니다!"

"그만."

법정 안에서 고성이 오가자, 판사가 손을 들어 중재했다. 소란스럽던 법정이 순식간에 고요해졌다.

판사의 입에서 어떠한 말이 나올지 모두의 기대가 쏠리던 그 순간, 증인석에 있던 대남이 나직이 말했다.

"판사님께서는 피고가 갱생의 의지가 있다고 생각하십니까."

돌발 발언이었지만 의미하는 바가 컸다. 기자들의 촉각을 곧

두세웠고, 고지철의 눈동자가 절로 휘둥그레질 수밖에 없었다.

상석에 앉은 판사는 말없이 침묵을 유지했다. 곧이어 판사가 배석 판사들과 수차례 이야기를 나눈 끝에, 법정의 마이크가 다시 켜졌다.

"검찰 측에서 구형문을 읽기에 앞서, 잠시 십 분간 휴정하도록 하겠습니다."

마지막 휴정을 알리는 판사의 말에 법정 내의 사람들이 긴장감 속에 참고 있던 숨을 토해냈다.

대남이 증인석에서 걸어 나오자 고지철이 황망한 눈동자로 그를 바라봤다.

고지철의 머릿속에는 수많은 생각이 오가고 있었지만 몇 시간 전 법정 옥상에서 대남과 나눴던 이야기가 스쳐 지나갔다.

'법조인으로는 살 수 있었을 거라⋯⋯.'

대남은 고지철의 시선을 뒤로 한 채 법정 밖으로 걸음을 옮겼다. 법정 밖에서 미리 대기하고 있던 기자들이 급히 대남의 뒤로 따라붙었다.

"김대남 씨! 오늘 재정증인으로 입정하기로 한 것은 검찰 측과 미리 이야기된 것이었습니까?"

"마지막으로 한 말은 무엇을 의미하는 겁니까?"

"김대남 씨께서는 조민관 검사장을 어떻게 생각하십니까!"

기자들의 질문을 대남은 묵묵히 들었다. 주위로는 이미 방청석의 일반인들과 시보 동기들이 대남을 훔쳐보고 있었다. 그 순간, 대남의 입이 열렸다.

"조민관 검사장은 갱생의 의지가 없습니다."

장내에 침 삼키는 소리만이 가득할 때, 대남이 그들의 시선을 받으며 말했다.

"갱생의 의지가 없는 놈에게 자비는 필요 없습니다."

"……!!"

대남의 말 한마디가 기폭제가 되어 기자들의 감탄을 터뜨리게 했다. 그만큼 조민관 검사장에 관한 공판은 전 국민의 관심을 받고 있다 해도 과언이 아니었다.

검찰 수뇌부의 연쇄살인 혐의는 웬만한 드라마와는 비견이 되지 않을 정도로 충격이었다.

그러한 상황 속에서 대남이 직접 검사장을 향해 일갈을 내뱉는 모습은 마치 드라마의 주인공을 방불케 했다.

"김대남 씨! 질문 하나 더 하겠습니다."

"동부지검의 강현욱 검사와는 아직도 공조 관계에 있는 것입니까?"

"검찰에서 어떠한 구형을 내릴지 짐작이 가십니까!"

기자들은 헐레벌떡 질문을 쏟아내기 시작했다. 수첩을 움켜쥔 손에는 그 어느 때보다도 힘이 들어가 있었다. 하나 대남은 기자들의 질문을 뒤로한 채 걸음을 옮겨 나갔다. 기자들은 멀어지는 대남의 뒷모습만을 하염없이 바라보며 아쉬운 입맛을 다실 뿐이었다.

"인기가 좋군, 김대남 시보."

"검사님도 만만치 않으신데요."

어느새 대남의 곁으로 다가온 강 검사가 발을 맞춰 걸으며 말했다.

휴정 시간 동안 구형문을 가다듬어도 시간이 모자랄 테지만 그는 대남에게 고마움을 표시하고 싶었다. 옥상에 올라 담배를 꼬나문 강 검사가 대남을 바라보며 말했다.

"고맙다, 정말 네가 아니었으면 여기까지 못 왔을 거다."

"검사님 아니었으면 애초에 시도조차 못 해봤을 일입니다."

"나는 이미 서부지검에서 낙인찍힌 사람이었지, 넌 앞길이 창창한 엘리트였고."

강 검사는 대남을 향해 절이라도 하고 싶은 심정이었다. 본인은 어차피 서부지검에서 주홍글씨가 새겨졌다고 할 수 있었지만 대남은 자신과 궤가 달랐다. 사법연수원 입소 전부터 사회적 지위가 형성되었고, 입소 후에도 수석을 차지하며 창창한 앞날만이 기다리고 있던 대남이다.

법정에서 판사를 향해 직언하는 대남의 모습은 영웅이나 진배없었다.

"구형문을 가다듬어야 하지 않겠습니까."

"오늘을 위해 얼마나 많은 날을 지새웠는데, 괜찮다."

"조민관을 잡을 수 있으시겠습니까?"

대남의 물음에 강 검사가 자신의 손목시계를 내려다보았다. 분침은 휴정 시간의 끝에 다다르고 있었다. 그 모습에 강 검사가 미소를 머금으며 물었다.

"휴정 시간이 곧 있으면 끝나겠군, 이게 무얼 의미하는지 알겠나."

대남이 고개를 얕게 끄덕여 보이며 뒤돌아섰다.

"조민관의 수명이 얼마 안 남았다는 이야기지요."

- 5장 -
정상의 궤도(2)

　법정 안은 삭막한 긴장감만이 흐르고 있었다. 변호인단에
자리한 고지철은 앉은 자리에서 어쩔 줄 몰라 하며 얼굴을 붉
히고 있었다.

　피고석에 앉아 있는 검사장 또한 돌아가는 상황이 심상찮
다는 것을 깨달은 것인지 의기양양해 보이던 초기의 표정은
사라진 채, 짙게 내리워진 다크서클 사이로 눈빛이 사정없이
흔들리고 있었다.

　"그럼, 재판을 속개하겠습니다."

　배석판사의 말과 함께, 모두가 침을 삼켰다. 방청석에 앉아
있는 시보들은 전관급 법조인들로 무장한 태강과 검사장의 무
난한 승리를 예견했었지만, 급박하게 뒤틀려진 분위기 속에서
놀라움을 감추지 못하고 있었다.

법조인이라면 작금의 상황이 얼마나 말이 되지 않는 역전의 법정인지를 가늠할 수 있을 것이다. 기자들 또한 한 장면이라도 놓칠세라 눈을 부릅뜨고 있었다.

"그럼 변호인단의 최종 변론을 듣도록 하겠습니다."

판사의 말에 고지철이 자리에서 일어났다. 그는 긴장한 것이 눈에 보일 지경이었지만 크게 숨을 들이켜 보이고는 마른 입술을 뗐다.

"변호인단은 검찰 측에서 제시한 증거물품들을 비롯한 증인들의 진술을 용납할 수가 없습니다. 애초에 검찰은 무죄 추정의 원칙을 중시하지 않고 피고를 범인이라 단정 짓고 표적 수사를 진행했습니다. 이는 그야말로 검찰의 직권남용이 아닐 수가 없습니다!"

"……!!"

"증인들의 진술은 검찰의 억압과 강요에서 비롯되지 않았다고 확신할 수 없으며, 갑작스레 입정하게 된 재정증인의 물증들은 전부 검토가 필요한 물품들입니다. 녹취록 또한 피고의 목소리라고 확신할 수가 없습니다. 이러한 상황 속에서 검찰의 구형문을 그대로 수용한다는 것 자체가 어불성설이라고 생각됩니다. 변호인단은 공소사실 자체를 인정할 수 없으며, 피고의 무죄를 주장하는 바입니다!"

고지철의 최종 변론이 끝나자 여기저기서 탄식의 한숨이 터져 나왔다. 방청석에 앉은 일반인 중 몇몇은 고지철을 향해 야유를 보내는 경우도 있었다.

법정 내의 수군거림이 더해지자 판사가 손을 들고는 말했다.

"법정 내의 소란은 삼가세요! 그럼, 변호인단의 최종 변론을 들었습니다. 검찰 측의 논고를 들어보도록 하겠습니다."

검찰석에 앉아 있던 강 검사가 자리에서 일어났다. 그는 고지철의 변론에도 당황하거나 분노한 기색이 없어 보였다.

강 검사는 아무런 감정을 품지 않는 눈동자로 피고를 직시하며 말했다.

"마양동 연쇄살인 사건은 전 국민을 악몽에 몸부림치게 했고, 초동수사를 진행했던 경찰과 검찰에게 크나큰 패배감을 안겨준 사건이었습니다. 수사를 진행하면서 마치 보이지 않는 손이 가리고 있는 듯한 느낌을 받았고, 실체를 알고 난 뒤에는 입을 다물 수가 없었습니다. 믿기지 않는 현실 속에서 수많은 증거가 나타났고, 증거가 가리키는 이는 단 한 사람이었습니다."

"……."

"공소를 진행하는 데 있어 수많은 증인을 법정에 세웠고, 재정증인을 활용해 침묵 속으로 사라질 뻔한 물증들을 안전하게 지켜낼 수가 있었습니다. 변호인단이 주장하는 피고의 무죄야말로 어불성설이 아니겠습니까. 법조인으로서 양심이 있

다면 최후의 품위는 유지하길 바라는 마음으로 논고를 끝마치
겠습니다."

강 검사의 논고가 끝나자, 법정 내의 사람들이 절로 고개를
끄덕였다.

고지철과 검사장의 표정은 가관이 되어가고 있었고, 판사
는 고개를 주억거리며 생각을 거듭할 수밖에 없었다. 판사는
고개를 들어 피고석을 바라보며 말했다.

"그럼, 구형을 내리기 이전에 공소사실에 관한 피고인의 최
후진술을 듣겠습니다."

조민관은 피고석에서 힘없이 일어났다. 하지만 그의 눈동자
는 여실히 분노에 타오르고 있었다.

"……검찰에서 수십 년간 몸담아 국민들을 위해 이바지했습
니다. 한데 돌아오는 결과가 연쇄살인 혐의의 누명이라니요!
말도 되지 않는 소리입니다. 저는 연쇄살인을 저지르지도 않
았으며 참된 법조인의 길을 걸었을 뿐입니다. 법과 정도를 위
해 한평생을 살았던 사람입니다. 재판장님 한 가지만 말해도
되겠습니까."

"무엇입니까."

"이처럼 검찰의 잘못된 수사 관행 아래 제가 누명을 쓴 채
구형받게 된다면 이 나라의 정의가 어디 있고 질서는 어떻게
되겠습니까. 평소 제가 일부 정치인들과 호형호제를 했던 것

은 사실이나 그것은 정말 사적인 신분이었으며 공적인 일은 가담된 적이 없습니다. 제 부덕의 소치로 말미암아진 누명에 재판장님께서는 현명한 판단을 해주시길 간곡히 요청합니다."

"허."

검사장의 최후 변론이 끝나자, 고지철 때와는 비교도 되지 않는 한숨 소리가 터져 나왔다. 뻔뻔스러운 검사장의 태도는 말만 듣고 있자면 정말 누명을 쓴 것이 아닐까 의심이 들 정도였다.

판사는 자신조차도 대하기 어려운 선배 기수인 조민관의 시선에 곤란해 보였지만 법관의 의지를 꺾지는 않았다. 이어지는 말에 검사장의 표정이 왈칵 일그러졌다.

"피고는 끝까지 반성의 기미가 보이지 않는군요."

"……!"

"구형은 오늘로 끝날지 모르나, 선고는 아직 기일이 남았습니다. 그간 경미한 감형이라도 받기 위해선 최대한 뉘우치는 모습을 보여줌이 옳을 것이라 사료됩니다."

판사의 말에 검사장이 황망한 표정으로 손을 사시나무처럼 부들부들 떨었다. 그가 여태까지 겪어보지 못한 치욕일 터, 대남은 그 모습을 바라보며 혀를 찼다.

"그럼 검찰 측의 구형문을 듣도록 하겠습니다."

강 검사는 회심의 미소를 지어 보이며 자리에서 일어나 구형문을 들어 보였다. 장구하게 내려진 구형문은 검사장과 태강에게 있어 사형선고나 다름없을 터, 강 검사는 날카로운 시선과 함께 거침없는 어조로 구형문을 읽어 내려갔다.

"수사를 개시한 이래, 검찰이라는 조직의 집단이 가지는 병폐를 목격했습니다. 동부지검의 수장을 수사하는 일이었기에 편향된 시선과 논점을 가지지 않기 위해 노력했고 법률의 지침 아래 공정한 수사와 국민을 위해 일했습니다. 하나, 피고에 대한 수사를 진행하면 할수록 나날이 드러나는 범죄혐의에 저희 동부지검 형사3부는 혀를 내두를 수밖에 없었습니다."

"······!!"

"대한민국을 악몽의 도가니로 몰고 간 화성 연쇄살인 사건의 범인은 아직도 잡히지 않았습니다. 한데 또 다른 연쇄살인 사건이 동부지검의 텃밭이라 불리는 지역에서 벌어졌습니다. 연쇄살인은 그 죄만으로도 다른 중죄들과는 비교도 되지 않을 정도로 무거움을 가지고 있으며, 인간으로서는 도저히 벌이면 안 될 극악무도한 범행임이 틀림없습니다."

강 검사는 짐짓 뜸을 들이며 숨을 가다듬었다. 구형이 내려질 것이라 예상되자 모두 한마음이 되어 강 검사의 입가에 집중했다.

단두대의 칼날이 떨어지듯, 조민관 검사장의 귓가를 향해 강 검사의 목소리가 파고들었다.

"본 검찰은 형법 각칙 41조가 규정하고 있는 형벌에 따라, 형법 제250조 살인의 죄와 제129조 뇌물죄를 비롯한 여죄를 물어 피고에게 사형을 구형하는 바이다."

"……!!!"

결심공판이 끝이 나고, 기자들은 믿기지 않는 역사의 순간에 섰다는 것을 실감할 수가 있었다. 하나 기자의 사명을 지키기 위해 곧장 퇴정하는 강현욱 검사에게로 뛰어가듯 달려갔다.

강 검사는 기자들의 취재 요청에 고개를 저어 보이며 강경하게 말했다.

"기자님들의 마음은 알겠으나 아직 확정선고가 내려진 것이 아닙니다. 또한 검찰 공보 규정상 수사와 공판을 진행하는 담당 검사는 원칙적으로 사건과 관련한 취재가 불가합니다."

"강 검사님, 그래도 한 말씀만 해주시면 안 되겠습니까? 이번 사건은 대한민국 법정 역사상 유례가 없었던 일 아닙니까."

"이번 사건과 관련해 저만큼이나 수사에 참여를 하고 정의로운 판결을 위해 노력했던 이는 따로 있습니다. 여러분들도 아시지 않습니까. 그분에게 가서 한 말씀 들어보는 것은 어떨까요?"

강 검사의 말에 기자들의 시선이 절로 법정 밖으로 나오고 있는 대남에게로 향했다. 방청석의 사람들과 함께 걸어 나오는 대남의 모습을 포착한 기자들은 곧장 먹이를 노리는 맹수처럼 뛰어갔다.

"김대남 씨, 이번 사건과 관련해 한 말씀 해주시겠습니까!"

"검찰의 강현욱 검사께서는 사건과 관련해 대남 씨가 큰 공을 세웠다고 하던데 말입니다."

"앞으로 조민관 검사장 측의 항소가 예상되는데 어떻게 될 것 같습니까!"

수많은 질문이 대남에게로 물밀 듯 쏟아졌다. 강 검사는 기자들의 이동을 바라보며 대남에게 미안하다는 듯 눈짓했다.

대남은 그 모습에 어쩔 수 없다는 듯 자리에 멈춰섰다. 대남은 자신에게 질문을 했던 기자 중 한 명을 바라보며 나직이 물었다.

"항소라고 하셨습니까?"

"그렇습니다. 이대로 간다면 조민관 검사장의 항소는 예견된 수순이 아니겠습니까."

"공소를 진행할수록 드러난 조민관 검사장에 관한 범죄 혐의들은 법조인이었다는 그의 과거가 믿기지 않을 정도로 인간 이하의 수준이었습니다."

대남은 아직 법정에 남아 있는 태강 법무법인의 변호사들을 바라보며 단언했다.

"지랄하지 말라고 하십쇼."

"……!!"

기자들의 얼굴은 경악으로 물들어갔다. 법정을 퇴정하고 있던 시보 동기들을 비롯해 방청석에 앉았던 일반인들마저도 놀라 입을 벌렸다.

대남은 그러한 충격의 도가니를 뒤로 한 채 뒤이어 말했다.

"물론, 마양동 연쇄살인 사건의 진범에게 하는 말입니다."

"혹 태강을 지칭하는 말은 아닌지요?"

기자 중 한 명이 눈치 없게 되물었지만 대남은 당황하기는커녕, 오히려 입가에 미소를 지어 보였다.

"그럴 리가요."

대남의 거침없는 어조는 기자들에게 있어 황금 같은 기삿거리였다.

희미하게 미소 짓는 대남에게로 기자들의 수많은 질문이 연이어 쏟아졌지만, 대남은 그 이상의 대답을 하지 않은 채 묵묵히 발걸음을 옮겼다.

[조민관 前검사장, 결심공판서 사형 구형!]
[검찰 역사의 한 획을 긋다, 동부지검의 파란.]

[항소를 준비하는 변호인단, 일갈하는 판사 시보 김대남!]

"정말로 대단하군, 자네."

김동주 부장판사는 손에 들린 신문을 읽어 내려가며 탄성을 터뜨렸다.

맞은편에 앉아 있는 대남의 모습이 실로 놀라웠다. 기사의 내용 중 결심공판서 대남이 직접 재정증인으로 나서는 대목은 부장의 눈을 휘둥그레지게 만들 수밖에 없었다.

"재정증인으로 출두했던 게 미리 준비된 이야기였다니, 감탄이 안 나올 수가 없군. 내 법관에 임용되고 나서 이십 년에 가까운 세월 동안 수많은 재판을 치렀지만 이보다 더 드라마틱한 재판은 없었어. 참관하지 못한 게 정말로 아쉽구만."

"참관을 하셨더라면 조민관의 넋 나간 표정을 볼 수 있으셨을 텐데 저 또한 안타깝군요."

"검찰의 수뇌부를 꺾은 것도 모자라, 콧대 높은 태강의 변호인단을 보기 좋게 눌렀으니 그 파장이 엄청나겠지. 이 모든 일련의 일의 중심에 자네가 있다는 사실이 정말 믿기지 않는군."

부장은 대남을 바라보며 많은 생각을 거듭할 수밖에 없었다. 애초에 대남이 법률저널과의 취재에서 사형 구형을 말했을 때만 해도 말도 되지 않는 이야기라 치부했었다.

저뿐만이 아니라 법조계에 몸담고 있는 법조인이라면 백이면 백 그렇게 생각했을 터였다.

"동부지검에서 검사장을 상대로 사형을 구형한 것은 앞으로 법조계에 전무후무할 역사가 되겠지. 그리고 그 역사를 이끌어낸 장본인이 아직 사법연수원을 채 수료도 하지 못한 시보였다는 것은 더욱 경악할 일이고 말이야."

"말에 정정이 필요할 것 같습니다."

"뭐가 말인가?"

부장의 눈꼬리가 흥미로운 듯 반달 모양으로 휘어졌다. 대남은 짐짓 뜸을 들이다 말했다.

"전무후무란 말은 어울리지 않습니다. 이전에는 없었을지 모르나 앞으로는 아니니까요."

"허허, 사람 참 당해내질 못하겠구만. 그나저나."

"……."

"검사장의 사건만으로도 이렇게 야단법석인 세상인데, 앞으로도 이러한 재판들이 또 벌어진다면 과연 국민들이 감당할 수 있겠나. 법치국가라는 명함이 무색하게 되는 건 아닌지 모르겠네. 자고로 물이 너무 깨끗해도 물고기가 살지 못하는 법이거늘."

고위직 관료의 부정부패는 비단 조민관 검사장 하나의 문제가 아니었다. 정·재계를 뒤져본다면 코끝을 역하게 만들 수 있을 사건이 즐비할 것이다. 하나 전부 처벌할 수 없는 것이 현실이었다. 대남은 고개를 들어 부장을 직시했다.

"불안해서 살지 못하는 것은 국민들이 아니라 범법자들이겠지요. 깨끗한 물을 만들자는 게 아닙니다."

"……그럼."

"불순물을 치워내자는 것입니다. 허울뿐인 법치국가라면 법률이 웬 말입니까, 범법자는 범법자일 뿐입니다. 그들이 무너진다고 사회가 무너지지는 않습니다."

대남의 말에 부장은 고개를 주억거렸다. 얼마나 시간이 지났을까, 부장은 목이 말랐는지 물잔을 들어 입을 축이고는 말했다.

"자네가 행하는 행동이 섣부른 정의라고는 생각되지 않나."

"섣부르다라."

"그래, 섣부른 정의는 결과가 어떠한 값이 나올지 모르지. 검사장의 사건은 일단락되었을지 몰라도 앞으로 계속해서 그런 행운이 찾아오기는 기대하기 힘들어."

대남은 부장의 말뜻을 모르지 않았다. 시간이 흘러도 대남의 얼굴에서 두려워하는 기색이 보이지 않자 오히려 부장의 얼굴에서 당황한 기색이 떠올랐다. 대남은 부장을 향해 새로운 정의를 내려주었다.

"부장님도 아시지 않습니까, 법정에서 필요한 건 행운이 아니라 사실관계입니다."

"……!"

"섣부르다는 말은."

이어지는 뒷말에 부장은 머리에 차가운 물을 끼얹은 듯했다.

"도전해 보지 않은 자의 입에서 나오는 변명입니다."

서울지법은 한동안 시끌벅적할 수밖에 없었다. 검찰의 수뇌부에 사형 구형을 내린 것은 그야말로 역사의 한 획을 그었다고 평가할 수 있었다. 그리고 그 중심에는 대남이 있었다.

"대남 씨는 시보 생활의 마지막도 화려하게 장식하네요."

한혜진이 기사들을 훑어보며 나지막이 말했다. 그녀의 눈동자는 토끼 눈처럼 커져 있었다. 기사 일면에는 대남의 얼굴과 조민관 검사장의 낙담한 얼굴이 희비를 교차하고 있었다. 그녀는 신문에서 시선을 떼고 대남을 바라봤다.

"간담회 가야 할 시간이네요."

"벌써 시간이 그렇게 됐군요."

"간담회가 끝나면 시보 생활이 끝난다니 믿기지가 않아요."

"그럼, 이제 끝내러 가봅시다."

대남이 자리에서 일어나자, 한혜진이 뒤따라 일어섰다. 간담회는 서울지법에서 열렸는데 판사 시보들을 비롯해 평소에는 얼굴을 보기 힘든 법원장이 상석에 자리했다.

간담회실의 문을 열고 들어서자 미리 도착해 있던 시보들이 대남을 얼굴을 훔쳐보고는 황급히 고개를 돌렸다.

"오랫동안 수고 많으셨습니다. 시보 여러분."

얼마 지나지 않아, 머리가 희끗희끗한 법원장이 간담회장에 행차했다. 그의 양옆으로는 부장판사들이 자리하고 있었다. 법원장은 간담회장을 가득 메운 시보들의 얼굴 면면 하나하나를 살펴보며 계속해서 말을 이었다.

"짧은 기간이었지만 법관의 업무를 곁에서 지켜본 소감을 들어보고 싶군. 으레 간담회에서 자발적인 발표가 이뤄지지만 오늘만큼은 내가 따로 소감을 물어보고 싶은 시보가 있네. 김 대남 시보."

법원장의 말에 간담회장의 이목이 대남에게로 집중되었다. 법원장은 사람 좋은 미소를 지어 보이며 대남을 향해 허허실실 미소 짓고 있었다.

대남은 갑작스레 지목을 당했지만 조금의 놀란 기색도 없이 자리에서 일어났다.

"서울지법에서의 생활은 저에게 많은 경험을 하게 해주었습니다. 법학 서적과 판례만으로는 찾아볼 수 없었던 법정의 생생함과 이론과 현장에서 느껴지는 법률의 괴리감을 여실히 보여주는 장이기도 했습니다."

"이론과 현장에서 느껴지는 괴리감이라, 어떤 것을 말하는 것인가."

"이론과 현장이 일치했던 법정으로써는 얼마 전에 있었던 조민관 검사장의 결심공판을 예시로 들 수가 있겠습니다. 하나 그것 또한 검찰의 구형이었기에 오로지 법관의 재량하에 벌어진 재판이라고는 할 수가 없습니다."

"그럼."

"법정에서는 그 누구의 지위도 막론하고 공명정대한 재판을 내려야 옳으나, 시보 생활을 하며 봐온 서울지법의 재판 중 몇몇은 그러한 정론을 깨고 역설을 행하고 있었습니다."

"……!!"

대남의 말에 모두가 놀랐다. 법원장은 의미심장한 표정을 지어 보였고, 그 옆자리를 차지하고 있던 몇몇 부장판사들은 대남의 무례하다고 볼 수 있는 언행에 자리를 박차고 일어나려 했다.

하나 법원장이 손을 들어 보임으로서 그 움직임은 제지당할 수밖에 없었다.

"역설이라, 법원장으로서 그리 듣기 좋은 말은 아니군."

"죄송합니다."

"아니지, 매번 똑같은 허례허식을 듣기보다는 이토록 새로운 말을 듣는 것도 나쁘지 않아. 검사장의 결심공판에서도 기자들을 향해 가감 없이 일갈했다지? 자네가 말한 역설이 무엇인지 말해줄 수 있겠나."

법원장의 말이 이어질수록 부장판사들의 얼굴이 시퍼렇게 질려 나가기 시작했다. 시보들은 초조해진 시선으로 대남을 바라봤지만, 대남은 아무렇지 않은 표정으로 말했다.

"대한민국은 경제 성장 위주의 정책을 펼침으로써 재계에 많은 혜택을 주었습니다. 그것이 비단 법정이라고 해서 논외의 대상이 되지는 않았지요."

"……."

"분식회계와 횡령을 수차례 저질렀음에도 법정에 선 재벌가의 회장들은 저들의 지병을 핑계로 구속집행정지와 형 집행정지를 받았습니다. 생활고에 시달리던 가장이 분유와 기저귀를 훔치다 징역형을 사는 것도 부족한데, 수십 수백억을 탈세한 그들은 고작 해봐야 집행유예가 다였습니다."

대남의 목소리에 간담회장에 적막감만이 감돌았다. 법원장은 고개를 천천히 끄덕여 보이며 말했다.

"도의와 정도를 따진다면 자네의 말이 백번 옳네, 하나 역설적이게도 대한민국을 지탱하고 있는 그들에게 중한 형벌을 내릴 수 없음이야. 대를 위한 소의 희생 정도로 치부해야 될 일일세. 세상이 하루아침 만에 급변할 수는 없지 않은가. 다른 시보들의 생각은 어떠한가."

법원장이 다른 시보들을 훑어보며 넌지시 물었다. 하나 자신 있게 손을 들고 자리에서 일어나 대답할 수 있는 이는 없었다. 부장판사가 기침을 하자, 그제야 부장의 발치에 있던 시보 한 명이 자리에서 일어났다.

"……저 또한 법원장님과 생각이 같습니다. 김대남 시보의 말은 허황된 공상에 지나지 않습니다. 앞으로 차차 나아가야 할 목표라 생각되지, 지금 당장 이뤄지기란 소원한 일이라 생각됩니다……."

주저하는 기색이 역력했던 시보가 힘겹게 말을 끝마치고는 제자리에 앉았다. 그제야 부장판사의 얼굴 또한 밝아질 수가 있었다.

한편, 다른 자리를 지키고 있던 김동주 부장의 경우에는 표정이 그다지 밝지 않았다. 아무래도 일전에 대남과 나눴던 대화가 신경 쓰이는 듯했다.

"법정이 언제부터 공과 사를 따지는 자리가 되었습니까."

그 순간, 대남의 말이 간담회장을 공허하게 울렸다.

"……!!!"

시보들의 얼굴에는 놀라움이 가득 묻어나오고 있었다. 결심 공판이 벌어지기 전까지만 해도 대남을 힐난했던 자들이 있었지만 결심공판이 끝나자, 대부분의 심경에는 큰 변화가 있었다.

자신들이라면 저토록 대담하게 외칠 수 있을까, 시보들의 시선에는 존경을 넘어선 경외감이 담겨 있었다.

"정말로 대단하군, 대단해."

법원장이 불현듯 크게 웃음을 터뜨리며 손뼉을 쳤다. 갑작스레 달라진 분위기에 모두 어안이 벙벙하기도 전에 법원장이 대남을 직시하며 말했다.

"이재학, 그 친구에게 들었지. 사법연수원에 아주 쓸 만한 놈이 들어왔다고 말이야. 본인이 해내지 못했던 과업을 해내는 것은 물론이고 그 끝을 알 수 없을 정도로 대단한 친구가 있다고 자랑을 하더군. 미안함세, 늙은이가 한번 시험을 해보았네."

"······!!"

"심지가 곧군, 나쁘지 않아. 오늘 이 자리에 있는 판사 시보들은 김대남 시보의 뜻처럼 이론과 현장이 다르지 않은 법조인이 되었으면 좋겠어. 선배들이 걸어갔던 길을 굳이 따라갈 필요는 없는 것이야."

시보들의 얼굴에는 황당함과 놀라움이 함께 스쳐 지나갔고, 법원장은 대남을 바라보며 물었다.

"동기들과 우리 법관들을 향해서 해주고 싶은 말이 있는가, 아무래도 이번 시보 생활의 꽃은 다름 아닌 자네였으니 말이야."

법원장의 물음에 대남은 시보 생활의 마침표를 찍을 말을 했다.

"법은 만인 앞에 평등하며, 공평하다."

- 6장 -
임관(1)

법원의 주최로 열린 간담회가 끝나자, 한혜진은 참았던 숨을 토해냈다. 판사 시보의 마지막을 장식할 간담회는 마치 꽉 막힌 차로에 선 것처럼 압박감이 온몸을 옥죄었다.

대남의 말이 한 마디, 한 마디 진행될수록 시보들의 손에는 진땀이 흘렀고 등 뒤로는 굵은 땀방울이 맺혔다.

법은 만인 앞에 평등하며, 공평하다.

한혜진은 대남이 했던 말을 속으로 읊어보았다. 법조인에게는 관용어라 할 만큼 당연시되는 말이었지만 정작 지켜지지는 않는 말이었다.

법률가로서 올바른 길을 걷는다는 것이 어찌 보면 외줄을 타는 것과 마찬가지였기 때문이다.

하나, 눈앞의 대남은 그러한 외길에도 한 치의 망설임 없이 발걸음을 옮겨 나갔다.

"……미안합니다."

간담회가 끝나고, 대남은 불현듯 자신의 앞으로 나타난 사내의 모습에 의문을 품었다. 고개를 숙인 사내가 천천히 고개를 들어 올리자 대남은 그제야 그가 누군지 기억이 났다.

"뭐가 미안합니까."

대남의 물음에 그는 처연한 표정을 한 채로 마른 입술을 쓸어 보였다.

사내의 등 뒤로는 다른 사법연수생들도 자리하고 있었다. 일전에 대남에게 시보 업무를 부탁하다 대차게 혼이 났던 이들이었다.

"여태껏 김대남 씨를 시기했었습니다. 사법연수원에서의 수석은 그렇다 치고, 시보 생활에서 마저 월등히 남다른 대남 씨의 모습에 어린아이처럼 질투했습니다. 일개 시보가 검사장의 사건과 관련해 나서는 모습이 아니꼬워 보이기도 했습니다. 하지만."

"……."

"그 모든 것은 제 바보 같은 생각에서 비롯된 일이었습니다.

대남 씨 앞에서 얼굴을 붉히고 언성을 높이며 업무를 부탁했던 과거가 몸서리치게 부끄럽습니다. 미안했습니다……."

사내는 가을 녘의 나락처럼 고개를 떨궜다. 다른 시보들도 마찬가지였다. 다들 간담회장에서 느낀 바가 많았는지 대남과 제대로 눈을 맞추는 이가 없었다. 부장의 발치에서 대남에게 힐난을 가했던 시보는 자신의 우유부단함을 책망이라도 하려는 듯 입술을 깨물고 있었다.

"저에게 미안할 필요 없습니다."

"그게 무슨 말입니까?"

"만약 조민관의 결심공판이 제대로 이뤄지지 않았다면, 지금 이 자리에 있는 여러분들이 저에게 미안한 마음을 가졌을까요? 오히려 저렇게 무모한 정의를 외치며 나서게 되면 나락으로 떨어진다는 사실에 혀를 찼겠지요."

"……!!"

대남의 말에 시보들의 얼굴에는 당혹스러움이 가득했다. 사과했지만 오히려 돌아오는 것은 매몰찬 회초리였다.

"판사 시보이기 이전에 예비 법조인으로서 이제 곧 수료를 눈앞에 두고 있습니다. 앞으로 누군가는 판·검사의 자리에, 혹자는 변호사로 진로를 선택하게 될 테죠. 만약 계속 그릇된 마음가짐을 가진 채 법조인이 된다면 결국 누가 피해를 받게 되겠습니까."

"……."

"저에게 했던 행동들을 마음에 두실 필요는 없습니다. 사람이라는 동물 자체가 개인주의적인 성격이 강하고, 자신을 위해서 계산적인 움직임을 하니까요. 하나."

어느새 간담회장을 빠져나오던 법원장과 부장판사들도 먼 발치에서 대남이 하는 이야기를 듣고 있었다.

시보들은 그러한 법관들의 시선에 몸 둘 바를 몰라 했지만, 대남은 타인의 시선에는 아랑곳하지 않고 시보들을 바라보며 말했다.

"법조인은 사업가가 아닙니다. 냉철한 법률가가 될 것인지, 기회주의자가 될 것인지, 본인들이 정말 법조인으로서 살기 위해 이 길을 택한 것인지 되뇌어보시길 바랍니다. 그리고."

이어지는 뒷말에 법원장이 흡족한 미소를 지어 보이며 마저 발걸음을 돌렸다.

"생각해 보십시오. 여러분들 정말 미안해야 할 대상이 누구인지를."

시보 생활이 끝나자, 사법연수원에는 다시 활기가 감돌았다. 연수생들은 짧은 기간이었지만 검사, 변호사, 법관의 자리에서 시보 생활을 보내서 그런지 이전과는 확연히 태가 달라져 있었다. 하지만 사법연수원 마지막 학기는 앞선 학기들보다 심적으로 더욱 치열하다고 봐도 과언이 아니었다.

"마지막 학기라서 그래도 여유 있을 줄 알았는데, 장난 아니네요. 정말."

한혜진이 법학 서적을 읽어 내려가다 한숨을 토해내며 말했다. 사법연수원에서 대남과 가장 친해진 이를 들자면 한혜진을 빼놓을 수가 없었다. 아무래도 그간 시보 생활을 함께 보내왔다는 점이 가장 컸을 것이다.

"대남 씨는 어딜 선택하실 거예요?"

한혜진이 작은 목소리로 물었지만 열람실 내의 그 목소리를 놓친 이는 없었다. 다들 볼펜을 손에서 놓지 않고 있었지만 귀만은 곤두세운 채 대남의 답을 기다렸다.

"글쎄요."

대남의 애매모호한 답변에 여기저기서 탄식 소리가 터져 나왔다.

대남의 성적은 사법연수원 내에서도 타의 추종을 불허했다. 수석과 차석 사이에도 메울 수 없을 간극이 있을 정도로 대남은 다른 연수생들에 비해 압도적인 지식과 재능을 선보였다. 이대로 간다면 마지막 시험에서도 수석은 예정된 수순이었다.

"군 문제는 어떻게 되었어요? 대남 씨도 이제 법무관으로 가실 거 아니에요."

"안 갑니다."

"……!"

대남의 말에 한혜진의 눈이 휘둥그레졌다.

"아버지 위로 큰아버지가 계시기는 하지만, 할아버지의 수양아들이셨습니다. 호적에는 올라와 있지 않아 제가 이래 봬도 3대 독자거든요. 간단한 군사훈련을 받고 곧장 사회로 다시 나옵니다."

3대 독자라는 말에 열람실에서 공부하고 있던 남자연수생들이 부러움의 눈길을 보냈다. 대남은 그들의 시선을 받으며 자리에서 일어섰다.

대남이 갑작스레 일어나자 한혜진이 의아하다는 듯 물었다.

"벌써 일어나세요?"

마지막 시험이니만큼, 공부할 법률 서적들이 산더미같이 쌓여 있었다. 족보조차도 존재하지 않아 연수생들이 시험 기간에는 날밤을 새우는 것이 당연시처럼 느껴졌다.

한혜진의 물음에 대남은 짧게 고개를 끄덕여 보이며 말했다.

"다 했으니까요."

시험 당일에도 연수생들의 짙은 다크서클은 끝을 보이지 않을 만큼 깊게 내려와 있었다.

앞으로의 인생이 결정되는 마지막 관문이었기에 연수생들을 끝까지 긴장의 끈을 놓지 않았다. 판·검사를 원하는 연수생들에게 있어 상위 석차는 필수였기 때문이다.

"다들 준비는 되었는가, 내가 첫 시작을 끊는 것이니 바짝 긴장하게나."

민법 담당 교수가 들어와 으름장을 놓았다. 그의 뒤로는 연수원 직원들이 산더미와 같은 답안지를 들고 오고 있었다. 하루에 한 과목씩 시험이 치러지지만 문제의 수준과 양은 상상을 초월할 정도였다.

"시험을 시작하기에 앞서 내 이야기를 해주지. 앞으로 이런 말을 들을 날은 흔치 않을 테니 말이야."

교수는 연수생들을 얼굴 면면을 하나하나 훑어보았다. 마치 자신의 과거를 회상하는 듯 교수는 짐짓 눈을 감았다 떠 보이고는 말했다.

"마지막 수료 시험이 끝나게 되면, 앞으로 자네들은 진정한 법조인의 길을 걷게 될 것이야. 험난한 풍랑과 코끝을 자극하는 유혹이 기다리고 있을지도 모르지. 하지만 난 지난 2년 동안 매사 최선을 다했던 자네들이 꿋꿋하게 이겨 나갈 것이라 믿네. 마지막으로, 성적에는 연연하지 말게나, 어느 자리에 있건 최선을 다하면 그 자체로 훌륭한 법조인이니 말이야."

마지막 시험이 가지는 중압감을 교수도 모르지 않는지 연수생들을 다독여 보였다. 그러고는 곧장 문제지와 답안지를 탁상 한편에 소리 나게 내려놓으며 말했다.

"모두 며칠 전에 내려진 공문들은 보았겠지."

교수의 말에 시험장 곳곳에서 침 삼키는 소리가 들려왔다.

"공식적으로 시험 범위는 건국 이래 모든 판례다. 여러분들의 건투를 빈다."

진정한 법조인이 되기 이전에 겪는다는 지옥의 레이스가 시작된 것이나 다름없었다. 그러한 레이스의 방아쇠를 당긴 교수의 입가에는 진득한 미소가 담겨 있었다.

연수생들의 얼굴에 긴장한 기색이 역력한 가운데, 대남은 홀로 아무렇지 않은 표정을 지어 보였다.

시험은 아침나절을 시작으로 오후 늦게까지 계속되었지만, 대남은 오후가 시작될 무렵에 시험장에서 빠져나올 수가 있었다.

그 모습에 연수생들은 물론이고 담당 교수까지 혀를 내두르며 놀란 표정이 되었다. 시험장을 빠져나온 대남이 발걸음을 옮긴 곳은 다름 아닌 이재학 교수의 교수실이었다.

검찰교수직을 맡고 있는 이재학 교수는 찻잔을 들어 보였다.

"그래, 오늘 민법 시험은 잘 치렀는가?"

"그렇습니다."

망설임 없는 대남의 모습에 교수는 저도 모르게 웃음 지어 보였다.

"과연, 자네라면 완벽히 했을 테지."

아직까지 몇몇 시험이 남아 있었지만 대남에게는 장애물로 느껴지지 않을 정도였다.

그저 원래 알고 있었던 문제들을 푸는 것에 족했다. 교수는 그러한 대남의 모습에 감탄을 터뜨리지 않을 수가 없었다.

"서울지법원장이 자네 칭찬을 입이 닳도록 하더군. 아랫사람을 칭찬하는 것에는 인색한 사람이었는데 말이야. 지금에서야 말하지만 간담회장에서 아주 대단했다고 하던데."

이재학 교수는 대남이 서울지법 간담회장에서 했던 말들을 전해 듣고는 자신의 직감이 틀리지 않았다는 것을 깨달았다.

"당연히 해야 할 말을 했을 뿐입니다."

"결심공판에서 재정증인으로 나섰다는 기사는 이미 숱하게 보았어. 읽는 내내 손에서 진땀이 나더군, 이 나이쯤 되면 감정이 무뎌질 만도 한데 말이야. 동부지검의 강현욱 그 친구는 서부지검에 있을 때부터 유명했었지. 자네가 곁에서 보기에는 어떻던가?"

"강직하고, 신념이 있는 검사입니다."

"그렇다면 이번에 결심공판의 피고인으로 참석한 조민관 검사장은 어떠했나."

대남은 피고석에 앉아 있던 조민관의 얼굴을 떠올려 보았다. 오만과 만용으로 가득 찼던 얼굴은 사형 구형과 함께 그늘이 드리웠고 동공은 그 어느 때보다 흔들렸었다.

"시정잡배였습니다."

"어떤 점에서 말인가."

"검찰의 수뇌부까지 올라간 것은 분명 손뼉 칠 만한 공이지만, 그가 검사장이라는 직함을 이용해 저지른 짓들을 보자면 인간이라 불러주기에도 아까운 말종입니다."

교수는 크게 미소 지어 보였다. 사법연수원은 사법시험을 통과한 수재들만이 모이는 곳이 맞았다.

대남을 보고 있자면 군계일학이라는 고사가 절로 떠올랐다. 교수는 인생의 늘그막에 만나게 된 진귀한 인연에 더없이 고마워하고 있었다.

"시보 생활 인사고과도 괜찮았고, 앞으로 남아 있는 사법연수원에서의 시험도 자네라면 수석을 놓치지 않을 테지. 사법연수원을 들어오기 전부터 사업을 하고 있었으니 변호사라는 직함도 나쁘지 않을게야. 웬만한 법무법인에서는 전부 자네를 탐낼 테니까."

"변호사로서 누군가를 변론한다는 것 자체가 제 성미와 맞지 않습니다. 그리고 변호사로 정착하기보다는 아직 하고 싶은 것이 많아서요."

재능이 많은 것도 탈이었다. 하지만 교수는 아쉬워하지 않았다. 분명 대남이라면 자신이 이뤄내지 못한 과업을 이룰 수 있었을 것이라 믿었기 때문이다.

"그렇다면 판·검사인데, 법관은 아무래도 자네와 맞지 않아. 이번 검사장 사건만을 보아도 그래. 흠, 그렇다면 아무래도……."

교수는 짐짓 뜸을 들이다 말을 이었다.

"검사가 어울리겠군."

이재학 교수의 말에 대남은 희미하게 웃어 보였다.

시보 생활 동안 겪었던 검찰이라는 집단은 세간에 알려진 평가와는 자못 달랐었다.

교수 또한 그 사실을 모르지 않는지 메마른 입술을 차로 적시고는 되물었다.

"검찰이라는 집단은 혼자서 두각을 드러내는 것을 싫어하지. 정권이 바뀔 때마다 노선을 바꿔야 하며 결속력이 강한 곳답게, 때때로는 눈을 감아야 하는 사건도 생기게 마련이야. 자네가 과연 그곳에서 버틸 수 있겠나."

"한때 교수님께서도 검찰의 이단아라 불리지 않으셨습니까."

"그랬지. 하지만 결국 이렇게 좌천되지 않았나. 동부지검의 검사들도 나와 비슷한 심정일 게야. 검사장을 잡아넣었지만 그 뒤에 누가 버티고 있을지 가늠이 안 되니 마치 보이지 않는 적과 싸우는 심정일 테지."

대남은 고개를 저어 보였다.

"동부지검의 검사들은 이미 결심을 굳혔습니다. 설령 그 뒤에 누가 버티고 있든 무너지지 않을 것입니다. 수장을 잡아넣은 것은 끝이 아니라, 시작이었으니 말이죠."

"외롭고 긴 싸움이 될 테지. 검사라는 직함은 외부의 시선으로는 그 어떤 직업보다도 위엄 있고 명성과 권력에 가까운 자리처럼 보일 테지만 상부의 하달을 거스르는 그 순간부터는 철저한 내부의 벽 속에 갇혀 외톨이가 되지. 허허, 늙은이의 넋두리니 너무 신경 쓰지는 말게나."

"……."

"난 자네가 끝까지 포기하지 말아 줬으면 해. 그 앞에 어떤 장애물이 버티고 있어도, 누가 자네를 핍박하고 혹은 회유를 하며 금은보화를 코앞까지 들이밀어도 말일세. 지금 자네가 가려는 길은 웬만한 법조인으로서는 엄두도 내지 못할 길이야."

교수는 자신이 걸어온 길을 되짚어 보며 대남에게 조언을 해주었다. 자신은 실패했지만 후학만큼은 실패하지 않기를 바라는 마음에서 하는 말일 것이다.

　이제 막 사법연수원을 수료할 햇병아리에게 들려줄 덕담치
고는 자못 거대해, 교수는 대남이 혹여 자신의 말에 압박을 받
지 않았을지 걱정스러운 눈치였다.

　"걱정 마십시오. 저는 그곳에서 버틸 생각이 없습니다."

　"버틸 생각이 없다니?"

　"시작하기 전부터 맞으며 버틸 생각은 없습니다."

　이어지는 뒷말에 교수의 눈이 커졌다.

　"'버틴다'가 아니라, '부순다'입니다."

　교수는 본인도 생각하지 못했던 단언의 전환에 놀라움을
감추지 못했다. 만약 여태껏 보잘것없었던 연수생이 저토록 거
만한 말을 내뱉었다면 우스갯소리로 치부했을 터였다. 하나
눈앞의 대남은 달랐다.

　교수는 과거를 회상하듯 자신의 낡은 손목시계를 내려다보
며 말했다.

　"초임 시절부터 나와 함께했던 시계일세. 검찰에서 상당히
외로운 투쟁을 벌이는 동안 나의 든든한 벗이 되어줬던 친구
지."

　낡은 시계에는 세월의 흔적이 많았지만 관리를 잘한 덕인지
초침이 물결 흐르듯 흘러가고 있었다.

　교수는 자신의 손목시계를 풀어 보이며 대남과 자신의 중앙

에 다소곳이 내려놓았다.

"초임 검사로 부임하면서 시계를 찼을 때 그 기분을 아직도 잊지 못해. 하지만 앞으로는 나보다는 자네가 쓸 날이 더 많을 것 같군."

"시계가 이렇게나 잘 돌아가는데 말입니까?"

"겉으로 보면 그렇겠지만, 내가 검찰에서 밀려났을 때 이 시계의 시간도 어떻게 보면 멈췄다고 할 수 있지."

대남을 바라보는 교수의 눈동자는 그 어느 때보다도 평안해 보였다.

광활한 들판 위에 몸을 가눈 채 누운 초로의 노인처럼, 그의 얼굴에는 여태껏 찾아보기 힘들었던 미소가 피어올랐다.

"앞으로는 자네가 이 시계를 맡아주게."

"제가요?"

교수는 앞으로의 미래를 건네듯 시계를 대남에게 건네며 말했다.

"자네의 손목에 있어야 앞으로의 시간이 제대로 흘러갈 테니."

사법연수원의 마지막 시험이 끝나자, 연수생들은 그간 참아 냈던 숨을 몰아쉬듯 거칠게 호흡을 내뱉었다.

누군가는 벌써부터 시험의 결과를 짐작한 듯 눈물을 훔치는 이도 있었고, 어떤 이는 고양감에 가득 들어찬 채 희열에 젖어 있었다.

"정말로 끝났네요. 사법연수원에서의 마지막 시험이."

한혜진이 나지막이 말했다.

그녀 또한 반나절 동안이나 쉬지 않고 계속해서 답안지를 써내려간지라 팔이 저리는 듯했다. 겨울이 다가오고 있었지만 앞머리는 땀에 젖은 채 있어, 마지막 시험의 부담감과 고단함이 얼마나 대단했는지 실감케 해주었다.

"이제 또 다른 시작이겠죠."

"대남 씨는 역시 대단해요. 시험이 시작 전이나 끝난 후나 긴장한 모습을 보이지 않으니 말이에요. 처음에는 솔직히 마인드컨트롤을 잘하는 사람이라고 생각했는데, 시보 생활부터 시작해서 사법연수원까지 돌이켜보니 그냥 대단한 사람이라고밖에 생각이 안 들어요."

한혜진은 대남을 향해 진심이 담긴 말을 건네었다. 사법연수원에 입소하기 전까지만 해도 세상에서 공부 하나만큼은 그 누구보다도 자신 있던 사람들이었다.

하나 입교를 시작하고 나서부터 시작된 별들의 전쟁은, 자신이 우물 안 개구리였다는 사실을 여실히 깨닫게 해주었고 사법시험과는 궤가 다른 거대한 벽을 만나게 해주었다.

"한혜진 씨는 어디를 지망하십니까?"

"저는 원래 법무법인에 가고 싶었어요. 다들 판·검사가 좋다고들 하는데 미래를 본다면 앞으로 변호사가 각광받는 시대가 오지 않겠어요?"

"그럴지도."

한혜진의 말처럼 대한민국의 로펌 시장은 세월이 흐를수록 급등하고 있었다. 앞으로 더 이상 사법연수원의 상위 석차들이 임관을 기다리지 않는 날이 올지도 몰랐다.

"그런데 생각이 바뀌었어요. 동부지검과 태강에서 시보 생활을 보내고 나니 알겠더라고요."

"무엇을 말입니까?"

"법조계는 겉으로 보이는 화려한 모습이 다가 아니며, 내부는 제가 상상한 것 이상으로 곪아 있다는 사실을 말이죠."

다른 사법연수원생이었다면 몰라도 한혜진이면 그리 생각했을 수도 있다는 생각이 들었다.

그녀는 자신과 마찬가지로 검사장 사건을 가장 가까이서 지켜본 이들 중 한 명이었으니. 하지만 그래도 이해가 되지 않는 점이 있었다.

"웬만한 법조인이라면 그러한 경우에는 오히려 눈을 감으려고 들 텐데요."

대남의 물음에 한혜진이 빙긋 웃어 보였다.

"향기 없는 꽃으로 살기는 싫으니까요. 그리고……."

한혜진이 무언가를 말하려는 찰나, 다른 연수생들이 이리로 걸어오고 있었다.

시험도 끝났겠다 앞으로 시작될 뒤풀이 장소를 가기 위해서였다.

갑작스레 나타난 연수생 무리에 한혜진이 묘한 표정을 지어보였지만 대남은 이유를 캐묻지 않았다.

뒤풀이는 연수원의 입소식 때와 마찬가지로 같은 장소에서 시작되었다.

2년 전과 마찬가지로 3반의 연수생들이 가득한 가운데, 담당 교수도 함께 자리했다.

술잔이 몇 순배 회식 자리를 돌았을 무렵, 누군가가 말했다.

"솔직히 말하면 말이야, 난 내가 공부로는 세상 제일인 줄 알았어. 그런데 여기 와보니까 아니더라고."

자조 섞인 말소리였지만 그 누구도 부정하는 이는 없었다.

"그리고 살면서 앞으로 공부로서는 다시는 마주치고 싶지 않은 괴물도 보았지. 김대남, 바로 너 말이야, 너."

평소에는 존댓말을 하던 이가 대남에게 갑작스레 반말을 했지만 그 누구도 말리는 기색은 없었다.

마지막 자리이니만큼 대남 또한 기분 좋게 그의 한탄을 들어주었다.

"제가 왜요?"

"봐봐, 마지막 시험까지 제일 먼저 나가놓고 수석은 놓칠 생각도 안 해요. 만약 이재학 교수님이 현역 시절이었다면 저 친구 이기실 수 있으셨겠습니까?"

갑작스럽게 화살의 방향이 담당 교수에게로 돌아가자, 모두의 시선이 이 교수에게로 향했다.

갑자기 쏠린 이목에도 교수는 당황하기는커녕, 오히려 연수생의 말에 일리가 있다는 듯 고개를 천천히 끄덕여 보이며 말했다.

"힘들었을 테지, 그 시절의 나라고 다를 게 있었겠나."

검찰 역사상 이단아와 천재라 동시에 불렸던 이재학 교수의 담담한 말에도 연수생들은 놀란 기색이 없었다. 오히려 교수의 입에서 그러한 말이 흘러나오자 나직이 고개를 끄덕이는 이도 있었다.

"자네는 어떻게 생각하나?"

교수의 물음에 연수생들이 술잔을 잠시 내려놓고 대남을 지켜봤다.

평소의 언행을 생각하자면 뒤에 이어질 말이 당연하게 떠올랐지만 그래도 기대심리가 작용하게 마련이었다.

"저도 그렇게 생각합니다."

"······!!"

대남은 술잔을 들어 입안에 털어놓고는 말을 이었다.

"저도 힘들었을 테죠. 제자는 스승을 이기려 들지 않으니까
요."

사법연수원의 수료식을 고대하던 이들의 마음 때문일까, 북
풍한설의 추운 날씨에도 수료식을 찾은 가족들의 입가에는 웃
음이 떠날 생각을 하지 않았다.

사법연수원장의 식사(式辭)로 시작된 수료식은 그 장엄함만
큼이나 앞으로 법조인으로서 발돋움할 연수생들의 모습에서
긴장감과 설렘이 함께 공존했다.

"친애하는 사법연수원 제24기 여러분. 근대사법의 백 년을
맞는 올해 수료하는 여러분들은 앞으로 급변하는 시대에 발맞
춰 양질의 법률서비스를 제공할 수 있도록 노력해야 하며, 국
민들이 원하는 한 명의 법조인으로서 나아갈 수 있도록 최선
을 다해야 할 것입니다."

수료식답게, 대법원장의 치사(致辭) 또한 들을 수가 있었다.

정장을 차려입은 연수생들의 얼굴에는 고시 생활을 비롯해 2년 간의 사법연수원 기간을 버텨냈다는 자신을 칭찬하고 있었다.

수료식을 찾은 가족들의 얼굴에는 더할 나위 없는 환희가 가득했고 대법원장을 시작으로 법무부 장관의 축사까지 연이은 법조계 인사들의 말이 이어졌다.

"그럼, 수료증을 수여하기에 앞서 대법원 표창을 수여하도록 하겠습니다."

사법연수원 수료 성적 수석에게만 주어지는 대법원장의 표창이었기에 그 주인공이 누군지 연수생들은 또한 모를 리 없었다.

"사법연수원 제24기 김대남, 단상 위로 올라와 주시기 바랍니다."

대남은 미리 단상 옆에서 준비를 하다가 사회자의 말이 끝남과 동시에 발걸음을 옮겼다. 대법원장은 유난히도 푸짐한 미소로 대남과 악수를 하고 표창장을 건네었다.

"표창장을 수여받은 사법연수원 제24기 수석 김대남 씨의 수상 소감이 있도록 하겠습니다."

짧은 시간이었지만, 그래도 사법연수원을 수석으로 수료했기에 소감을 말할 수 있는 시간이 주어졌다.

대남은 단상 위의 마이크 앞에 선 채 함께 2년간의 시간을 보내온 연수생들을 바라보았다.

"반갑습니다. 2년 전 우리는 오늘 이 자리에서 선서를 통해 사법연수생이 되었습니다. 예비 법조인으로서 훌륭한 교수님들 밑에서 오랜 시간 법학을 수학했습니다. 시보 생활을 보내며 법학 서적으로는 알지 못했던 법조계의 모습을 살펴보기도 했습니다."

대남은 자신의 손목에 채워진 이재학 교수의 시계를 내려다보았다. 낡았지만 흐르는 초침 속에 담긴 유구한 세월의 깊이는 익히 가늠되지 않았다.

시대가 교차하듯, 시계의 주인이 바뀌었고 무거운 짐을 올린 듯 어깨가 무겁기도 하지만 대남은 전혀 부담스러워하는 표정이 아니었다.

"이론과 현실이 다른 현장 속에서 그간 여러분들의 마음속에선 많은 변화가 있었을 것이라 생각됩니다. 앞서 누군가가 걸었던 정해진 길로 굳이 걸어갈 필요는 없는 것입니다. 풍랑이 무서워서 피하지 마십시오. 부딪치고 이겨 나가야 합니다. 두렵다고 뒤돌아서지 말고, 타협하지 마십시오."

대남의 말이 이어질수록 많은 이들이 감명을 받은 듯 고개를 끄덕여 보였다. 그동안 대남이 사법연수원과 시보 생활 간 보여주었던 모습은 많은 이들의 마음속에 자리한 무언가를 꿈틀거리게 했으리라.

"법률의 수호자로서, 법조인은 단 한 가지만 생각하시면 됩니다."

삼백여 명의 연수생들의 시선을 받으며, 대남이 수료식의 마지막 말을 남겼다.

"정의, 그뿐입니다."

사법연수원 수료식의 대미를 장식한 대남의 말은 연수생들의 가슴을 뭉클하게 했다.

대남의 아버지와 어머니는 수료장의 한편에서 그 광경을 바라보며 감격에 벅찬 표정을 지어 보이셨다.

자신들의 아들이 쟁쟁한 사법연수생들을 대표해 말한다는 것이 얼마나 기쁠까, 어머니의 눈가에는 감동의 눈물이 맺혀 있었다.

"볼 때마다 느끼는 건데, 참 대단합니다. 저 친구."

수료식을 찾은 강현욱 검사는 동행한 김필재 부장을 바라보며 나직이 말했다.

부장 또한 그의 말에 동조를 표하는지 천천히 고개를 끄덕여 보였다.

지금껏 검사 시보로서는 해낼 수 없는 일들을 김대남이라는 젊은 친구는 해냈다. 그렇다 해서 과업을 해냈다는 느낌은 아니었다. 마치 아무렇지 않은 표정으로 평상의 일을 처리하듯 막힘이 없었다.

"검찰을 선택했다지."

"그렇습니다. 법원 쪽에서도 탐내는 이들이 많았고, 로펌에서도 이례적이라 할 정도로 파격적인 조건들을 제시한 것으로 알고 있는데 검찰을 선택했더라고요. 하는 일에 비해서는 박봉이라 평가해도 좋을 만큼 고될 텐데 말입니다."

"자네와 비슷한 과인가 보군."

부장의 말에 강 검사는 희미하게나마 웃어 보였다.

"저보다 더한 놈입니다. 검사 시보가 검사장을 끌어내렸다는 건 전 세계를 뒤져봐도 전무후무한 일일 테니까 말이죠."

사법연수원 수료식장에서 단상 위에 선 대남을 바라보는 수많은 이들의 마음속에서는 많은 생각이 스쳐 지나가고 있었다.

불세출의 천재가 과연 앞으로 어떠한 모습을 보여줄지 기자들은 손에 땀을 쥔 채로 대남의 수상 소감을 수첩에 적어 내려가기 바빴다.

앞으로 법조계의 진일보를 일궈낼 대남의 행보를 모두가 주목하는 순간이었다.

"고생했네."

수상 소감을 마무리하고 내려오는 대남을 향해 대법원장이 어깨를 토닥였다.

대법원장은 대남을 흥미롭게 바라보고 있었다. 세간을 떠들

썩하게 만든 연수생은 그리 흔한 인물이 아니었으니 말이다.

대남은 그에게 고개 숙인 뒤 걸음을 옮겼다.

"와주셔서 감사합니다. 강 검사님, 그리고 부장검사님."

수료식이 끝나고, 대남은 자신을 찾아와 준 동부지검의 검사들에게 고마움을 표시했다.

검사장 사건으로 정신없는 나날을 보내던 중 바쁜 시간을 쪼개 참석했으리라.

"오늘 같은 날 부모님이랑 있어야 하는 거 아니냐?"

"부모님도 이해해 주셨습니다. 어차피 저녁 시간은 가족끼리 보내기로 했으니 말이죠. 검사님들은 지금 아니면 시간이 안 되시지 않습니까."

"그렇게 말해주니 고맙군. 그럼 밥이나 먹으러 가자."

강 검사는 부장과 함께 대남을 데리고 사법연수원 근처 중식당으로 차를 몰았다.

허름한 중식당이었지만 외관이 손맛을 가릴 수는 없는지 벌써부터 구수한 장 냄새가 코끝을 간질였다.

부장은 자장면 한 젓가락을 들어 보이고는 말했다.

"이 집이 내가 사법연수원에 입교했을 때부터 있었던 집이다. 벌써 수많은 세월이 흘러 이 집 자장면 먹은 법조인 숫자만 헤아려 봐도 대한민국 법조계 반 이상을 차지할 거다. 그래. 그건 그렇고, 검찰을 선택했다고 들었는데 맞나?"

"그렇습니다."

"솔직히 말하자면, 네가 검찰을 선택해서 고맙기는 하지만 한편으로는 걱정도 돼. 지금 당장은 검찰에 자네를 품으려는, 품을 만한 조직이 없을걸세. 어떻게 보면 시한폭탄이나 다름없지 않은가. 한데 연수원 성적이 성적이니만큼 거부할 방법도 마땅히 없을 테지."

부장은 자신의 목숨을 구해준 대남이 고마웠다. 하나 앞으로 검찰 생활을 하면서 대남이 겪을 일들을 생각하면 칭찬보다는 조언이 좋다고 여겼다.

"제가 설령 검찰에서 왕따라도 당할까 걱정하시는 겁니까."

"뭐, 아니라는 보장은 없네. 부끄럽지만 검찰이라는 집단은 아직도 구시대에 머물고 있으니 말이야. 나조차도 자네를 만나기 전에는 그러했지 않나."

"걱정하실 필요 없습니다."

대남은 젓가락으로 힘주어 자장면을 집은 뒤 말했다.

"구시대에 머물고 있는 이들은 언젠간 도태되게 마련이고."

대남의 젓가락이 면발을 반으로 잘랐다, 잘려진 면발이 그릇으로 하염없이 추락했다.

"도태된 후에는 낙오되게 마련입니다."

- 7장 -

임관(2)

　사법연수원 수료식이 끝나고, 얼마 지나지 않아 신임검사 임
관식이 열렸다.

　법무부 주최의 검사 임관식은 수료식과는 다른 장엄함을
풍겼다.

　법복을 차려입은 신임검사들은 더 이상 예비 법조인이 아니
었고, 검찰이라는 조직에 정식으로 소속된 법조인이 된 것이다.

　"축하드려요."

　"혜진 씨도 축하드립니다."

　법복을 차려입은 한혜진이 대남에게 작은 목소리로 축하 인
사를 건네었다.

　대남은 그녀가 검찰을 선택했다는 것에 놀랐으나 내색하지
않았다. 신임검사 중에는 연수원 생활 동안 대남에게 자극받

아 검찰을 선택한 이들도 있었다.

"신임검사 대표 김대남 앞으로 나와주십시오."

사회자의 말에 따라 대남이 착석해 있던 자리에서 일어나 단상 앞으로 나아갔다.

법무부 장관에게 직접 임명장을 부여받고, 신임검사들을 대표해 선서했다.

모두의 이목이 집중된 가운데 대남의 목소리가 청명하게 임관식장 안을 울렸다.

"……공익의 대표자로서 정의와 인권을 바로 세우고 범죄로부터 국민을 지키라는 막중한 사명을 부여받은 것입니다. 오로지 진실만을 따라가는 공평한 검사! 스스로에게 더 엄격한 바른 검사로서 그 앞에 어떠한 불의가 닥치더라도 국민을 섬기고 국가에 봉사할 것을 나의 명예를 걸고 굳게 다짐합니다."

법복을 입은 신임검사들의 얼굴에는 고양감이 가득했다. 하지만 정작 가장 앞장서 선서를 하고 있는 대남의 얼굴에는 표정 변화가 보이지 않았다.

앞으로의 검찰 생활에 벅찬 감동이 차오르기보다는, 얼마나 많은 사건이 자신을 기다리고 있을지에까지 생각이 미치자 여러 복잡 미묘한 감정이 느껴졌다.

임관식이 끝나고 일주일이란 시간이 흘렀다. 대남은 배정받은 검찰청에서 본격적으로 일을 하기에 앞서, 오랜만에 황금양을 찾았다.

"다들 수고가 많으십니다."

대남의 말에 직원들이 놀란 얼굴로 자리에서 일어났다. 대남은 직원들과 간단하게 인사를 나눈 뒤 아버지가 계실 사장실로 발걸음을 옮겼다.

"어서 와라, 대남아."

아버지의 얼굴은 상기되어 있었다. 그 이유는 뒤이어 들려오는 말로 유추할 수가 있었다.

"네 말대로 이번 배급을 시작한 '7가지 죄악'이 선풍적인 인기를 끌고 있다. 이전 '사랑 안에 블랙홀'하고는 그 반응 자체가 차원이 다르구나. 아무래도 한국 시장에도 이제 추리, 스릴러물이 그 판도를 바꾸려나 보다."

"앞으로는 어떻게 하실 계획이세요?"

"아무래도 네가 말한 대로 영화 배급 자체는 믿을 만한 외화들을 위주로 진행하고 국내영화 제작에 힘을 써야겠지. 우리 황금양을 믿고 찾아온 배우들과 감독들이 날이 갈수록 늘어나는 추세이기도 하고 말이야."

아버지는 금양출판과 더불어 황금양의 운영에 심혈을 기울였다.

황금양은 '7가지 죄악'의 성공에 힘입어 어느새 배급업계에서 내로라하는 기업 중 한 곳으로 우뚝 서고 있었다.

"그래. 초임 발령받을 곳은 나왔냐? 요즘 친척들이 다 네 이야기밖에 안 해. 덕분에 너희 엄마는 동네 아줌마들 사이에서 아주 인기 스타 다 됐지."

"공부한다고 오랫동안 부모님 얼굴도 못 뵈었는데 이렇게라도 효도를 하니 다행이죠, 뭐. 초임 발령받은 곳은 서부지검이에요."

"서부지검?"

아버지는 서부지검이라는 말에 고개를 갸웃거리셨다. 대남이라면 일전에 검찰 생활을 지낸 동부지검을 희망할 줄 알았기 때문이다. 혹여나 검찰 상부의 눈 밖에 난 대남이 서부지검으로 발령받은 것은 아닐까 걱정도 되었다.

대남도 아버지가 그런 생각까지 했다는 걸 알아채고는 고개를 저어 보이며 말했다.

"제가 서부지검으로 희망했어요."

"네가?"

"예, 동부지검보다는 서부지검에서 일해보고 싶어서요."

대남의 말에도 아버지는 이해가 되지 않는 눈치였다. 대남은 그러한 아버지를 바라보며 말했다.

"아버지께서 남자라면 큰물에서 놀아야 한다고 말씀하셨잖아요."

"암, 그렇지."

"검찰에서 큰물이라고 하면, 범털들이 많은 곳이어야 할 텐데."

범털은 거물급 범법자를 은유적으로 표현하는 말이었다. 대남은 앞으로 펼쳐질 검찰 생활을 고대하며 눈을 지그시 감았다 떴다.

"서부지검에 많거든요."

서울서부지방검찰청 신임검사 김대남.

대남은 자신이 발령받은 서부지검을 고개를 들어 바라봤다.

동부지검과는 정반대에 위치한 서부지검은 마포·은평·서대문·용산구 등 4개의 관할구역을 가진 검찰청이다.

검찰은 법원과 달리 일반인의 출입을 엄히 금했기에 그 분위기부터가 남달랐다.

"자네가 이번에 발령받은 신임검사 김대남인가?"

"그렇습니다."

차장검사는 대남을 바라보며 알 수 없는 미소를 지어 보였다.

신임검사와 일 대 일로 진행되는 차장과의 면담은 앞으로 검찰 생활의 지침서 같은 역할을 해주었다. 그러나 서부지검 차장은 대남에게 그러한 조언을 해주기보다는 사담을 나눴다.

"동부지검 검사들에게 많은 이야기를 들었지."

"……."

"검사 시보가 기자회견에 나와 직접 얼굴을 비치고, 사건 일선에서 뛰는 것은 예삿일이 아니니 말이지. 지금 우리 서부지검에서도 자네에 대한 말들이 많이 오가고 있는 것을 알고 있나?"

차장검사의 오묘한 시선을 받으며 대남은 묵묵히 고개를 끄덕여 보였다.

"솔직히 말하자면 자네를 지방으로 발령 보내자는 말들도 많았어. 하지만 사법연수원에서의 성적이 수석이었으니 별수 없지 않은가. 한데 왜 서부지검으로 발령을 지망했는지 물어봐도 되겠나?"

"그 이유 말씀이십니까?"

"그래, 서부지검은 서울 4대 지검 중에서도 일 처리가 많기로 소문난 곳인데 말이야. 난 자네가 내심 동부지검으로 발령되길 바랄 줄 알았어. 일전의 검사장 일도 있고, 아마 자네를 믿어주고 밀어주는 이들도 여럿 있을 테니 말이지."

차장의 말은 틀린 말이 아니었다. 서부지검은 평검사들 사이에서 악명이 높은 곳 중 하나였다.

수도권 검찰청이지만 과도한 업무로 인해 평검사들의 무덤이라 불리기도 했다. 하지만 단 하나, 승진을 위해서라면 거칠수밖에 없는 관문 중 하나였기에 오고자 희망하는 이들도 많았다.

"별다른 이유는 없었습니다."

"그럼? 설마 벌써부터 승진을 바라보는 것인가. 아무래도 중앙지검으로 가는 길은 확실히 이쪽이 고되긴 해도 빠르긴 하지. 한데 초임이 벌써부터 승진을 생각하긴 이른데 말이야. 앞으로 갈 길이 태산 같으니 말이지."

"승진을 위해선 아닙니다."

대남의 말에 차장의 눈꼬리가 기묘하게 휘어졌다. 마치 가이포커스 가면을 쓰는 듯한 그의 모습은 속내를 들키기 힘들 만큼 교묘했다.

하지만 대남은 그러한 그의 시선에도 아랑곳하지 않고 말을 이었다.

"지금은 동부지검 소속인 강현욱 검사가 동부로 발령받기전 서부지검에 있었던 걸로 압니다."

"그런데? 허허……. 동부지검에서 무슨 말을 들었는지는 몰라도 입조심 하는 게 좋을 것 같군."

"죄송합니다만, 제가 서부지검을 첫 발령지로 희망한 것은 그 이유였습니다."

"뭐라?"

차장의 반문에 대남이 자세를 고쳐 앉고는 말했다.

"서울에서 가장 검사다운 검사일을 할 수 있는 곳이 어딜까, 유심히 고민을 해봤습니다. 잡범들을 잡으면서 검사의 세월을 보내기보다는 검찰청의 기둥이라 불리는 공정, 진실, 정의, 인권, 청렴을 실현시킬 수 있는 곳을 말이죠."

"그런 어쭙잖은 이유에서 서부지검을 선택했다면 글쎄."

"왜 모자랍니까?"

이어지는 뒷말에 차장이 미간을 찌푸렸다.

"서부지검이라면 충분할 것 같은데 말이죠."

대남의 한마디에 집무실의 분위기가 급속히 냉각되어 갔다. 차장의 이맛살이 계속해서 찌푸려지는 가운데 그가 비틀린 미소를 지어 보이며 물었다.

"지금 그게 무슨 말인가?"

차장의 심기가 불편한 듯 볼 가가 실룩였다. 이제 막 초임 검사로 발령을 받은 신임이 차장검사인 자신 앞에서의 언행이 거침없다는 사실이 꽤나 그의 심경을 건드린 듯했다.

하지만 대남은 아무렇지 않게 대꾸했다.

"서부지검 형사부가 대한민국에서 가장 바쁘지 않습니까,

그 말입니다."

"서부지검은 말이지 자네가 생각하는 것만큼 호락호락하지가 않아. 동부지검에서야 검사 시보의 신분으로도 막 나갈 수가 있었겠지만, 이곳에서는 자네가 가장 말단의 위치에 있다는 걸 항상 명심하길 바라네."

"알겠습니다."

차장의 눈꼬리가 다시 한번 더 묘해졌다. 말대답이라도 할 줄 알았던 대남이 스스럼없이 고개를 끄덕여 보였기 때문이다.

동부지검에서 검사장을 끌어내렸다기에 일전의 강현욱과 같은 외골수라 생각했거늘, 자신의 예견이 빗나갔다는 것에 고개가 절로 주억거려졌다.

"자네가 발령받은 부서가 어디인지는 알고 있나?"

"형사3부라 알고 있습니다."

"형사3부는 대대로 1, 2부와는 비교될 정도로 중범죄를 거의 전담하다시피 맡고 있지, 애초에 초임 검사를 형사3부에 발령내지는 않지만 자네를 그곳에 배정한 까닭은 동부지검에서 보인 뛰어난 활약과 사법연수원에서의 수석이라는 월등한 성적 덕분일세. 앞으로 좀 고되겠지만 불만은 없겠지?"

초임 검사는 대개 발령받은 검찰청 내부의 부서 중 업무의 경중이 적은 곳에서부터 수습 딱지를 떼고 올라가는 것이 정설이었다. 시보처럼 짧은 기간 동안 배우는 것이 아닌, 정식 검사가 되는 것이기에 기초를 다지는 것이 더욱 중요했다.

한데, 대남은 초장부터 난이도가 높은 곳에 배정되었다고 봐도 무방했다.

"괜찮습니다."

수도권에서 오랫동안 산전수전을 겪은 검사들도 가길 꺼려하는 곳에 대남이 유유자적 첫발을 떼겠다고 하니 차장은 오히려 가소로워 보였다.

제깟 게 아무리 대단한 천재라 언론에서 떠받들어 줄지라도 이제 막 법조계에 발을 들인 초짜라는 사실은 변함없었다.

"동부지검에서처럼 사고는 치지 않는 게 좋을 거야, 가족끼리 등 뒤에 칼 찌르는 건 못 배워먹은 짓이니 말이지."

"못 배워먹은 짓이라."

"그러고 보니 내가 이 말을 안 했군. 조민관 검사장님은 수원지검에 있을 적에 내가 직속 상관으로 모셨던 분일세. 그분이 원래 그런 분이 아닌데 나이가 드시니 공과 사가 뒤틀렸던 것이겠지. 그래도 자네들이 너무했어. 한솥밥 먹던 식구를 그래서야 쓰겠나."

차장의 말에 대남은 천천히 고개를 끄덕여 보였다.

"차장님께서는 검사장님의 마지막 모습을 보셨습니까?"

"……내 업무가 바빠 직접 면회를 가지는 못했지만 기사로나

마 보았지. 안색이 많이 안 좋으시더군."

"저는 서울지법에서 실제로 뵈었습니다. 생각보다 다른 모습에 놀랐었습니다."

"어떠한 점이?"

대남이 콧등을 긁으며 말을 이었다.

"그게, 악취가 다 나더라고요."

서부지검 형사3부 민중 검사는 의자에 몸을 기댄 채 골머리를 썩이고 있다.

금일 이례적으로 형사3부에 신임검사가 배정이 되었는데 하필 자신의 집무실이었다.

일손이 늘어 기뻐해야 하는 것이 옳았으나, 신임으로 오는 이가 범상치 않은 친구였다.

"김대남이라……."

민 검사는 초임 검사의 프로필이 적힌 파일을 들어 보이고는 이름을 되뇌었다.

일전의 동부지검 사건으로 인해 언론을 떠들썩하게 만든 검사 시보이자, 사법연수원 입교 전부터 세간에 널리 알려져 있던 법학도였다.

아무리 업무에 치여 사는 민 검사였지만 그 사실만은 모르려야 모를 수 없었다.

"저, 검사님 이번에 새로 오는 수습, 차장검사님하고 한판한 것 같던데요."

"뭐어?"

"그게…… 차장검사실 안에서 고성이 들렸다고 하더라고요."

실무관의 말에 민 검사가 자리에서 벌떡 일어났다. 차장검사와의 면담에서 도대체 어떤 말을 꺼냈기에 차장이 언성을 높인 걸까, 궁금증이 증폭되던 가운데 애먼 노크 소리가 민 검사의 귓가를 파고들었다.

계장이 황급히 문을 열어 보이자, 그곳에 정장을 차려입은 남성이 서 있었다.

"안녕하십니까. 형사3부로 배정받은 신임검사 김대남이라고 합니다."

"……어, 어 그래, 어서 와."

민 검사가 힘없이 대남을 맞이했고, 대남은 계장과 실무관의 도움을 받으며 수습 검사 자리에 짐을 풀었다.

민 검사는 언론을 통해서만 보았던 대남의 모습에 놀라운 한편 쓴맛을 느낄 수밖에 없었다.

"짐 다 풀었으면 나하고 이야기 좀 하지."

민 검사의 말에 대남은 짐 정리를 대강 마치고는 자리에서 일어났다.

검사실 내부에 자리한 민 검사의 집무실로 들어선 두 사람은 테이블을 가운데 둔 채 소파에 마주 앉았다. 적막감이 흐르는 와중, 먼저 말문을 연 것은 민 검사였다.

"자네, 혹시 차장님하고 무슨 일 있었나?"

"어떤 일이요?"

"그 우리 실무관이 차장실을 지나가다가 차장님이 언성을 높이는 걸 들었다고 해서 말이야. 혹시나 자네에게 한 게 아닌가 하고."

"제게 한 것이 맞습니다."

대남의 대답에 민 검사는 저도 모르게 깊은 한숨을 내쉬었다. 마치 자신은 아무 잘못이 없다는 듯한 대남의 모습에 민 검사는 몸을 소파에 깊숙이 기대었다. 소파마저도 한숨을 내쉬는 것처럼 푹 꺼졌다.

"왜 그랬나? 업무 첫날부터 차장님 눈 밖에 나면 좋지 않을 거라는 건 지나가는 국민학생도 알 텐데 말이야."

"검사는 정직해야 한다고 배웠고, 있는 그대로의 사실을 말했을 뿐입니다. 하지만 검사님께서 곤란하시다면 앞으로는 최대한 차장님과 마찰이 없도록 노력하겠습니다."

"……자네, 우리 서부지검의 내부 서열이 어떻게 돌아가는지 알고 있나?"

민 검사는 자세를 앞당겨 대남을 직시하며 말을 이었다.

"현재 서부지검의 검사장님은 얼마 안 있으면 대검찰청 형사부장으로 승진이 될 거라는 예견이 지배적이지. 그리고 그 뒤를 이을 사람이 바로 조필우 차장님이시네. 차장님이 이토록 고속 승진할 수 있었던 까닭에는 그 집안의 힘이 커."

"집안의 힘이요?"

"잘 몰랐나 보군. 조필우 차장님의 집안은 검찰에서도 유명한 법조계 집안이야. 친부께서 대법관을 지내셨고 장인은 현재 장관직을 영위하고 있으니 서부지검 내에서는 검사장 위에 차장이 있다고 표현할 만큼 무소불위의 권력을 가졌다고 할 수 있지."

대남은 일전에 자신과 사담을 나눴던 인물이 그러한 배경을 가졌다는 사실에 고개를 주억거렸다.

하나 뒷배경을 보았다고 해서 이전의 마음가짐과 달라지는 점은 없었다.

"그런데 저에게 왜 그런 말을 해주시는 겁니까. 혹 차장 눈치라도 살피면서 다니라는 말씀이십니까?"

"……!!"

민 검사가 놀라 눈을 부릅떴다. 하지만 이미 대남의 성격을 대강 파악했기에 이내 마음을 진정시키고는 입을 열었다.

"나도 서부지검으로 발령받은 지 얼마 되지 않은 평검사야.

하지만 서부지검이 그 어떠한 검찰청보다도 결속력이 강하다는 것은 알고 있지. 자네도 알지 않은가, 강현욱 부부장검사가 서부지검에서 내부 고발을 진행하다 동부지검으로 발령받은 사실을 말이야. 난 그러한 작태가 싫지만, 어쩔 수 있는가."

"……."

"이 집단의 구성원이 된 이후부터는 살아남으려면 그 집단이 정한 룰을 따를 수밖에 없어. 자네라고 예외는 아닐세. 웬만하면 우리를 위해서 그리고 자기 자신을 위해서라도 눈 밖에 나는 행동은 하지 않는 게 좋아."

대남은 차분하게 말을 잇는 민 검사를 바라봤다. 서울 4대 지검은 평검사로서는 승진을 위해서라면 거치는 관문이었고, 서부지검은 그중 가장 핵심을 담당하고 있었다.

민 검사가 저토록 안절부절못하며 대남에게 말을 건네는 것이 이해가 되었다.

하지만 대남은 오히려 입가에 미소를 짓고는 되물었다.

"결속력이 강한 게 아니라, 폐쇄적인 거 아닙니까."

"……!!!"

"민 검사님의 의중은 잘 알겠습니다. 앞으로 주의하도록 하겠습니다. 하나 대한민국의 검사가 안방에서조차 두려움에 발소리도 나지 않게 걸어 다닌다면, 밖에서 수사는 제대로 진행할 수 있을까요."

대남은 자신을 향해 눈을 부릅뜬 민 검사를 향해 단호히 말
했다.

"전 검사가 되려고 왔지, 집사가 되려고 온 게 아닙니다."

초임 검사, 말 그대로 수습 검사를 뜻하는 단어이다.

검찰청 내에서 말단 중의 말단으로서 보통은 소일거리조차
혼자서 소화해내지 못한다.

검찰 생활을 겪은 거라곤 시보 생활이 전부였으니 당연한
이야기였고, 사수로 배정된 검사가 어떠한 인물인가에 따라서
수습 검사의 앞날이 정해진다고 해도 과언이 아니었다.

"검사님, 다 하셨습니까?"

계장은 대남에게 지나가듯 물었다.

이미 대남이 서부지검 내에서 요주의 인물로 낙인찍혔다는
사실은 직원들 사이에서도 파다하게 난 소문이었다.

민 검사 또한 제대로 일을 가르쳐 주지 못했으니, 수습 검사
의 경우 업무를 헷갈려 허둥지둥하게 마련이었다.

그러나 대남은 파일들을 마저 정리해 계장에게 건네며 되물
었다.

"더 없습니까?"

"네……?"

"다했는데, 업무가 없어서 말이죠."

대남의 말에 계장은 허탈하게 입을 벌렸다. 실무관 또한 며칠 동안 지내보니 대남이 호락호락한 인물이 아니라는 사실에 감탄을 터뜨리고 있었다.

때마침 집무실에서 나온 민 검사가 머리를 긁적이며 대남에게 걸어갔다.

"김 검사, 잠깐 나하고 이야기 좀 하지."

민 검사의 말에 대남이 다시 자리에서 일어났다. 그들은 처음 만났을 때와 마찬가지로 테이블을 사이에 두고 소파에 마주 앉았다.

민 검사의 얼굴에는 수만 가지 생각이 스쳐 지나가고 있었다. 민 검사는 짐짓 뜸을 들이다 말했다.

"내가 며칠 동안 자네를 유심히 봐왔지만, 솔직히 말하면 업무를 제대로 가르쳐 주지 않아 곤혹스럽게 할 작정이었는데 그것도 먹히지 않아. 오히려 검찰 생활에 나보다 더 능숙한 면모를 보여주니 뭐라 할 말이 없군."

"……."

"내 옹졸했던 지난날을 잊어주게. 부장이 직접 우리 207실로 사건을 배정했어. 이번만큼은 수습인 자네 또한 나와 함께 뛰어야겠지. 잘만 되면 공판에서 자네가 수습 딱지를 뗄 수도 있고 말이야. 그리 자주 오는 기회는 아니야. 나도 수습 딱지는 반년이 흐르고 나서야 뗐으니까."

민 검사는 그렇게 말을 하며 사건 파일 하나를 테이블 위에 올려놓았다.

대남은 사건 파일을 집어 들고는 읽어 내려갔다. 이미 사건의 개요와 완벽한 초동수사, 유력한 용의자까지 도출된 형사 사건이었다.

대남은 그걸 읽어 내려가다 덮고는 말했다.

"상부에서 회유라도 하랍니까."

"허."

민 검사는 저토록 당당히 말하는 대남의 모습에 기가 찼다. 혹여 대남이 말썽이라도 피울까, 우려한 상부에서 회유의 목적으로 손쉬운 사건 감을 내려다 준 것인데 도리어 그 속내를 물어볼 줄이야.

"그래, 자네도 수습 딱지를 빨리 떼면 좋지 않나. 서로 상부상조하는 거지. 어차피 자네도 이제는 서부지검의 구성원이 되었으니 말이야. 차장님께서도 넓으신 마음으로 자네를 품으려는 것이겠지……."

민 검사는 하다못해 변명을 할 수밖에 없었다. 괜스레 자신이 맡고 있는 수습 검사가 일을 벌여봐야 자신에게 좋을 것이 하등 없었기 때문이다.

하지만 대남은 그러한 민 검사의 마음을 아는지 모르는지 고개를 저어 보였다.

"품으려 노력하실 필요 없습니다. 참, 이것 좀 보시죠."

"그게 뭔가……?"

민 검사는 대남이 건넨 파일을 받아들었다. 통장 내역으로 보이는 파일들에는 무수히도 많은 단위의 금액들이 찍혀 있었다. 의아해하는 민 검사를 향해 대남이 말했다.

"차명 계좌 내역입니다. 금융실명제가 상용화되었기는 하나 아직까지 차명 통장이 많이 개설되어 있더군요. 그리고 그건 불법으로 업소들에 청탁을 받은 정황이고요."

"이게 누구……?"

"형사3부 부장님이 관리하시는 차명 계좌입니다. 입금된 내역의 업소들은 전부 서부지검의 관할구역에 자리한 불법 유흥업소이고요."

"……!! 이걸 도대체 왜 알아본 건가."

"서부지검에 처음 왔을 때 들은 말이 가족이었습니다. 한데……."

민 검사의 얼굴이 경악으로 물들어가는 가운데, 대남이 빙긋 웃었다.

"가족이 나쁜 길로 빠지는 걸 두고 볼 순 없지요."

- 8장 -
서부지검의 비밀(1)

대남의 호기로운 말에 민 검사의 눈이 찢어질 듯 부릅떠졌다.

골머리를 썩이다 못해 몸에 사리가 생겨날 지경이었다. 대남은 서부지검에 발령받기 전부터 인기 스타였고, 검찰로 임관을 선택하자마자 언론에 대서특필될 정도로 예정된 스타 검사였다.

민 검사는 고개를 들어 대남을 직시했다.

"김 검사, 자네가 검찰을 선택하기 전부터 대쪽 같은 성정에 거침이 없다는 것은 진작 알고 있었네. 하지만 자네는 아직 수습 검사야. 딱지도 떼지 못한 수습 검사가 지금 사수 앞에서 내부 고발을 논하자는 겐가?"

"내부 고발이라, 너무 과장된 단어가 아닙니까."

"뭐?"

대남은 민 검사의 눈동자를 바라봤다. 동공이 흔들릴 정도로 자신을 바라보는 시선에는 불만과 두려움과 분노가 뒤섞여 흐르고 있었다.

당연한 결과였다. 형사3부는 부서 특성상 항상 업무 과다에 시달릴 수밖에 없는데, 서울 4대 지검 중 서부지검이 유독 심했다.

이런 상황에서 자신의 일을 도와주러 온 수습 검사가 눈앞에서 부장검사의 치부를 들추고 있으니 욕지거리를 내뱉지 않는 게 용할 지경이었다.

"부장검사가 저지른 짓은 고작 해봐야 불법 유흥업소의 접대비와 상납을 받은 것이 전부였습니다. 내부 고발이라는 이름이 아까울 정도로 졸속이죠."

"……!!"

"솔직히 놀랐습니다. 부장검사가 벌이는 범법 행위들을 민중 검사님께 보고하면 어떠한 반응이 나올지 궁금했는데 말이에요. 제가 예상했던 반응과 한 치의 오차도 없어서 오히려 이제는 담담해집니다."

"……무엇이 자네를 그리도 담담하게 했지?"

민 검사의 목소리에는 분노가 가득 담겨 있었다. 그는 지방 검찰을 시작으로 수도권에 오르기까지 각고의 검사 생활을 펼쳤다고 볼 수 있었다.

한데 이제 막 수습 검사로 검찰 배정을 받은 대남이 자신에게 잣대를 들이밀고 있지 않은가.

"민 검사님을 보고 있자면."

"……."

"늑대들 사이에서 길을 잃은 채 방황하는 양을 보는 것 같습니다. 그것도."

대남은 민 검사를 향해 단호히 말을 이었다.

"아주 겁에 질린 채 말이죠."

"……!!"

민 검사의 얼굴은 귀 끝까지 붉어졌다. 타오르는 석양만큼이나 주홍빛으로 달궈진 민 검사의 얼굴을 향해 대남이 찬물을 끼얹듯 말했다.

"민 검사님께서도 느끼셨을 텐데요. 서부지검은 정상적인 검찰의 형태가 아니라는 사실을 말입니다. 이미 일전에 강현욱 검사께서 내부 고발을 진행했었지만 보이지 않는 손에 가로막히고 좌천을 당했습니다. 하지만 그에 관해서 안타까운 소리를 말하는 사람은 이곳에 단 한 명도 없군요."

"……."

"오히려, 손가락질하며 조롱하고 강현욱 검사를 가리켜 계란으로 바위 치는 꼴이라며 조소를 날렸죠. 민 검사님은 과연 그들 중 어느 위치에 서 계셨습니까. 강현욱 검사를 옹호했습니까, 아니면 함께 혀를 찼습니까?"

대남의 단언에 민 검사는 주춤거릴 수밖에 없었다. 자신의 검사 생활은 여태껏 잔잔하게 흘러가던 호수와 다름없었다.

평검사들의 무덤이라 불리는 서부지검 형사부에 왔을 적에만 해도 모나지도, 잘나지도 않은 상태에서 선배들의 눈 밖에 나지 않으려 안간힘을 썼었다.

"난……."

강현욱 검사가 좌천을 당했을 적에도 그러했다. 왜, 저 사람은 공들여 쌓아 올린 커리어를 한순간에 망가뜨릴까.

민 검사는 대남의 물음에 제대로 말을 잇지 못했다. 대남은 그러한 민 검사를 지켜보다 먼저 말문을 열었다.

"부장검사님과 관련한 건은 일단 보류하도록 하겠습니다. 그래도 명색이 수습 검사인데 사수께서 하지 말라는 일을 독단적으로 할 수 있을까요. 상부에서 내려준 사건의 경우 실적을 위해 저 말고도 맡으려는 분들이 많으실 텐데 양보하겠습니다."

"……."

"그리고 민 검사님도 아시리라고 믿습니다."

집무실에는 정적이 감돌았다. 고요해진 상황에 대남의 손목에 채워져 있는 낡은 시계만이 째깍째깍 소리를 내는 듯했다.

대남은 자리에서 일어나며 망부석이 된 민 검사를 향해 말했다.

"서부지검 형사부는 고인 물이라는 사실을요."

민 검사는 그 이후로도 일이 손에 잡히지 않는 듯 보였다.

실무관과 계장은 민 검사의 눈치를 살피며 발걸음을 옮기는 소리조차 신경 썼지만 대남은 개의치 않았다.

대남을 바라보는 실무관과 계장의 얼굴에는 놀라움이 가득했다.

서부지검 전체가 대남에게 따가운 눈초리를 보내고 있었지만, 본인은 마치 검찰에 유유자적 소풍이라도 나온 듯 마냥 여유로웠기 때문이다.

"김 검사님, 뭐 하나만 여쭤봐도 될까요……?"

호기심이 많은 실무관이 대남에게 다가와 물었다.

수습 자리에서 업무를 도맡아보고 있던 대남이 고개를 짧게 끄덕여 보이자 실무관은 집무실의 문이 열릴세라 서둘러 운을 띄었다.

"혹시 수습으로 오시기 전에 동부지검에서 과외라도 받으셨어요? 제가 이래 봬도 검찰청에서 오래 생활하면서 수습 검사님들을 여럿 봤는데, 김 검사님처럼 이렇게 일사천리로 일 처리를 하시는 분은 처음 봐서요."

"그래요?"

"네에, 완전 놀랐다니까요. 첫날만 해도 우리 민 검사님이 기분이 상하신 건지 업무도 제대로 안 가르쳐 주셨잖아요. 그런데 김 검사님은 아무렇지 않게 뚝딱 해결해 내니까 귀신이 곡할 노릇이죠. 누가 보면 검사 생활 십수 년 한 줄 알겠어요."

"크흠."

실무관의 말이 길어지니 머리가 벗겨진 계장이 기침 소리를 내보였다. 그제야 말 많던 실무관이 입을 삐죽 내밀고는 제자리로 돌아갔다.

서부지검 형사부에서 대남의 존재는 그야말로 미스터리였다. 대부분 제아무리 천재라 불리는 대남이라 할지라도 두 손두 발 들고 사수에게 고개를 숙일 줄 알았다. 그런데 그 예상을 깨고 오히려 사수가 골머리를 썩이고 있는 지경이라니.

"김 검사, 나랑 부검실 좀 가지."

그 순간, 집무실의 문이 열리고 골머리를 썩고 있던 사수 민 검사가 걸어 나왔다. 그는 표정은 좋지 않았지만 업무를 처리해야 한다는 압박감 때문에 발걸음을 놀리는 것처럼 보였다.

"부검실이요?"

"그래, 시보 생활 때 경험해 봤겠지만 어차피 서부지검으로 왔으니 한번 견학은 가봐야 하지 않겠어? 그리고 일전에 상부에서 내려준 사건은 우리가 맡기로 했다. 그것마저 거절했다가는 무슨 사달이 날지 모르니 말이야……."

대남은 민 검사의 의중을 모르지 않았다. 상부에서 대남을 회유하고자 손쉬운 먹잇감을 내려줬는데 그것마저 거부해 버린다면 민 검사의 입장이 난처해질 터였다.

"검사가 왜 검안을 하는지 알고 있나."

"형사소송법상, 변사의 의심이 있는 사체의 경우 관할 검찰청의 검사가 검시하여야 한다는 조항 때문이 아닙니까. 설령 법 조항이 없다고 해도 맡은 사건의 책임자이니 사체를 봐야 하는 것은 당연하고요."

"그래, 잘 알고 있군. 오늘은 사체를 확인차 가는 것이야. 출석 도장을 찍는 정도이지. 상부에서 자네에게 내려준 사건 말일세. 이미 완벽하게 초동수사가 끝나 있어 더 손볼 것도 없었거든. 이 사건마저 거부했다면 차장이 자네를 더욱 압박하려 했을 거야. 자네는 옆에 서주기만 하면 돼."

부검소로 가는 자동차에서 민 검사는 대남을 달래듯 말했다. 수사와 공판을 둘 다 자신이 맡아서 할 테니 협조하라는 민 검사의 암묵적인 표현에 대남은 짧게 고개를 끄덕여 보였다.

국립과학연구소 산하에 위치한 부검소는 생전의 지위, 나이, 성별을 막론하고 평범한 사체로 돌아가는 기이한 곳이었다.

알코올 냄새와 더불어 코끝을 간질이는 비릿함은 수습 검사들에게 있어서는 견뎌내기 힘든 냄새였다.

민 검사의 표정은 좋지 않았지만, 대남의 발걸음에는 주저함이 보이지 않았다.

"새로 오신 수습 검사분이시군. 검시관 이창석입니다."

검시관과 인사를 나눈 뒤, 대남과 민 검사는 사체가 있을 부검실로 향했다.

"민 검사님, 사체의 상태가 보고서에서 보았던 것보다 심각한데요."

"타살이니까 어쩔 수 있나, 용의자도 이미 잡혀 있는 상태이고 물증까지 나왔으니 빼도 박도 못하게 됐지."

차가운 스테인리스 침대 위에 놓여진 사체는 쇄골 밑으로 배꼽에 이르기까지 Y자 형태로 개복되어 있는 상태였다. 갈비뼈가 으스러지고, 뼛조각들이 내장을 이 잡듯 찌르고 있었다. 살가죽 위로는 날카로운 칼로 난도질당한 자상의 흔적이 수두룩했다.

민 검사는 그걸 보다 말고 고개를 돌렸다.

"이만하면 됐다, 돌아가자."

"아직 확인할 게 남지 않았습니까."

"척 봐도 타살이지. 그것도 아주 무자비하게 말이야. 지난번에 네가 했던 말 아직도 기억한다. 고인 물이라는 말. 하지만 서부지검은 4대 지검 중에 가장 유명한 곳이기도 해. 중범죄에 관해선 하나의 실수도 용납하지 않는 것으로."

민 검사의 말에도 대남이 계속해서 자리에서 고민을 하자 검시관이 어쩔 줄 몰라 했다.

"끝까지 더 살펴보겠습니다. 그래야 피해자의 원혼도 여한이 없을 테니까요."

대남은 개복된 사체의 이곳저곳을 더 살펴보았다. 그 모습에 검시관과 민 검사는 혀를 내두를 지경이었다.

웬만한 사람이라면 보는 것만으로도 오금이 저리고, 아직 겨울이 지나지 않아 냄새가 덜 난다지만 사망 시에 풍기는 그 특유의 냄새로 정신이 없을 터인데 대남에겐 그러한 기색이 하나도 보이지 않았다.

"검시관님, 정말 타살이 확실합니까?"

한참 사체를 살펴보던 대남이 검시관에게 물었다.

"그게 무슨 말입니까? 이미 검찰에서 타살로 확정되지 않았습니까."

검시관의 되물음에 대남이 사체에게로 향했던 고개를 천천히 들어 보였다.

"그럼 법의학자는 오지 않는 겁니까?"

"법의학자가 올 필요가 없죠, 이미 타살로 단정 지어진 사건이니 말입니다. 부검만 해주면 된다기에 제가 온 겁니다. 이미 용의자가 잡혔고 자백도 한 것으로 알고 있는데 뭐가 그렇게 불만이십니까?"

"아닙니다."

검시관의 물음에 대남은 고개를 저어 보이며 뒤돌아섰다. 그제야 검시관이 능숙한 손놀림으로 개복되어 있던 사체의 부검 부분을 꿰매기 시작했다. 그 모습을 멀찍이서 바라보던 대남은 민 검사와 함께 걸음을 돌려 다시 차로 향했다.

"저 사건, 민 검사님도 타살로 생각하십니까?"

"그게 무슨 말이지?"

민 검사의 의아한 물음에 대남이 짐짓 눈을 감았다 뜨고는 말했다.

"검찰 수사상 사건 결말이 도출된 사건의 경우 부검과 검시 조사에 괴리가 있을 수도 있습니다. 작금의 상황이 그렇고요. 검시관은 부검을 하러 왔지 정확한 사체의 소견이나, 사망에 관한 해석을 하지는 않았습니다."

"흠……."

"주먹구구식으로 이뤄지는 일 처리 속에서 그저 1차 부검을 통해 피해자의 뼈가 으스러지고, 칼로 여러 곳이 난자되었다는 사실밖에 밝혀내지 못했죠. 지금 사체를 담당한 검시관은 부검에 관해서는 전문일지 모르나, 검시 조사에 관해선 초짜나 다름없었습니다."

"척 보아도 타살인 사건이지 않나. 의아한 부분이 있었다면 검시관이 먼저 말을 했을 걸세."

민 검사의 단호한 말에 대남이 고개를 저어 보였다.

"과연 말을 했을까요? 검찰에선 이미 수사가 종결에 가까워졌는데 괜스레 나서서 훗날 책임을 져야 하는 상황이 벌어질지도 모릅니다. 수사 진행 과정도 제대로 모르는 상태에서 법의학자도 아닌 검시관이 솔선수범해서 검찰에 이견을 제시할 수 있겠습니까."

"……."

"피해자의 자상과 상흔에 난 멍울들은 대부분 사후 진행된 것이라고 봐도 좋을 만큼 없다시피 했으며, 오히려 시반 현상이 짙게 나타나 있었습니다. 그리고 피해자는 온몸을 구타당했음에도 수차례에 걸쳐 난도질을 당했습니다. 그와 관련해선 저항한 흔적은 한 차례도 보이지 않았고요. 마치."

대남은 고개를 돌려 민 검사를 바라보며 말했다.

"이미 죽어 있는 상태에서 공격당한 것처럼 말입니다."

"그게 무슨 말인가……!! 이미 용의자가 초동수사 후 체포되어 자백마저 한 상태야. 자네 말은 일리가 없어. 이미 서부지검 상부에서 자체적으로 수사가 종결되다시피 한 사건을 우리가 맡은 것인데……."

"그래서 이상하다는 겁니다. 서부지검은 왜 자살인 사건
을……."

이어지는 뒷말에 민 검사가 브레이크를 세게 밟았다.

"타살이라고 수사했을까."

자동차가 요란한 소리를 내며 갓길에 급정거했다. 민 검사
는 믿기지 않는다는 눈으로 대남을 바라봤다.

대남은 갑자기 차를 세운 민 검사를 향해 고개를 천천히 돌
렸다. 그의 귓가로 민 검사의 황망한 목소리가 파고들었다.

"자살이라니……."

민 검사의 머릿속은 마치 짓이겨 버린 호박이라도 된 것처
럼 뒤죽박죽 여러 가지 생각이 섞여 흐르고 있었다.

치정에 의해 발생한 살인 사건이었으며, 용의자였던 남자 친
구는 이미 자신의 죄를 반쯤 자백한 뒤였다.

이러한 상황에서 대남의 말 한마디는 잔잔했던 민 검사의
호수에 돌을 던져 파문을 일게 한 것이나 다름없었다.

"확신할 수는 없지 않은가. 이미 용의자가 체포된 상태야.
만약 자살이라면 어떤 미친놈이 자기가 직접 피해자를 죽였다
고 말하겠나."

"이유가 있었겠지요. 지금부터 그걸 알아보는 게 바로 우리,
검사의 몫이고요. 분명 이번 사건은 수사 단계부터 뭔가 미흡
한 점이 많았습니다. 용의자가 초동수사 결과 체포되었기에

검경에서 이렇다 할 추가 조사를 안 한 게 원인이겠죠."

민 검사는 대남의 말이 길어질수록 머릿속이 더욱 복잡해지고 있었다. 민 검사는 앞섬에서 담뱃갑을 꺼내 담배 한 개비를 말아 물었다.

운전석 창문 밖으로 진득한 담배 연기가 피어올랐다. 담배가 반쯤 타들어 갔을 무렵, 대남이 말했다.

"민 검사님도 느끼시지 않았습니까."

"무엇을."

"이번 사건에서 느껴지는 괴리감을 말입니다."

"……."

민 검사가 쉽사리 말을 잇지 못하자 대남이 대신해서 말을 이었다.

"사건 파일에는 용의자가 피해자의 전 남자 친구였으며, 피해자가 자신과의 재결합을 원치 않자 우발적으로 범행을 계획했다고 진술했습니다. 하지만 사건을 자세히 파고들어 가 보면 이상한 점이 한두 가지가 아닙니다."

대남은 조수석 캐비닛에서 사건 파일을 꺼내 내리읽어갔다.

"피해자와 용의자는 이미 이별한 지 반년이나 시간이 지난 상태였고, 피해자가 살해되던 날 밤 용의자를 본인의 직장이던 대구 성서공단에서 목격했다는 목격자들이 있었습니다. 실제로 다음날 직장에 정시에 출근을 했고요. 대구와 서울 간의 지리적인 거리 차이에 따른 시간을 염두에 뒀을 때 범행을 저지르기엔 시간이 너무 빠듯합니다."

"……그렇다고 아예 불가능한 것도 아니지 않나, 오히려 우발적인 범행이기에 동이 트기 전 새벽녘에 대구로 차를 몰았을지도 모르지. 그리고 결정적으로 자살이라는 자네 말은 일리가 없어."

"사건 파일에 명시된 대로 타살일 수도 있습니다. 그러나 명확한 건 이번 사건의 용의자는 석연치 않은 점이 너무나도 많다는 겁니다. 용의자는 체포된 뒤에도 계속해서 완강히 범행을 부인하다 요 며칠 사이 갑작스럽게 자세를 바꿨습니다. 마치 누군가에게 강요를 당한 것처럼 말이죠."

"……!!"

민 검사는 대남의 손에 들린 사건 파일을 뺏다시피 받아 들어서는 읽어 내려가기 시작했다.

상부에서 내려온 사건이라 해서, 이미 수사 종결에 가까웠기에 마음이 안일했던 것도 사실이었다.

하나 대남의 말에 안일했던 마음은 깨끗이 씻기고, 사건 파일을 내려다보는 그의 두 눈동자에는 의심이 들어차기 시작했다.

"사체에 있었던 상흔과 용의자의 심경 변화가 수상하군. 우발적이었던 범행이라고 진술했지만 이미 죽은 사람의 몸을 이

잡듯 패고, 수차례 난도질했으니 말이야. 싸이코가 아니고서야 이럴 수가 있나."

"싸이코는 아닐 겁니다."

"그럼."

대남은 머리를 긁적여 보이며 말했다.

"피해자의 아버지는 국회의원입니다. 검사님께서도 피해자의 신원을 확인하셔서 알고 계시겠지만 유족 측에서는 사건을 축소하려 들기도 했죠. 이상하지 않습니까. 하나밖에 없는 딸이 죽었는데 말입니다."

"국회의원이기에 더욱이 가십에 휘말리고 싶지 않아서 그런 것 아니겠나."

"그뿐만이 아닙니다."

대남은 고개를 저어 보였다. 민 검사는 평범한 치정 살인극인 줄 알았던 사건이 점차 소용돌이에 휘말리고 있는 듯한 기분이 들었다.

"용의자의 진술 부분을 살펴보면 국회의원이었던 피해자의 아버지는 평소 딸의 교제를 탐탁지 않아 했다고 나와 있습니다. 결국 애지중지하던 딸이 용의자와 교제를 그만두었고 반년이 지난 시점에 싸늘한 사체로 발견되었습니다."

"갑작스럽게 애지중지하던 딸이 죽었으니 화가 났겠군. 그것도 상상할 수 없을 만큼."

"맞습니다. 그 화살이 어디로 향했겠습니까."

대남의 물음에 민 검사가 홀린 듯 대답했다.

"남자 친구."

민 검사는 서부지검에 도착하고 나서 머리를 골똘히 싸맨 채 고민하기 바빴다.

상부에서 대남을 회유하기 위해 이양했던 사건에 수상한 점이 한둘이 아니었다.

민 검사가 심각한 표정으로 사건 파일을 계속해서 읽고 있자, 계장과 실무관은 어쩔 줄 몰랐다. 그 순간, 대남이 자리에서 일어나 민 검사의 집무실로 향했다.

"들어와."

민 검사의 힘없는 목소리와 함께 대남이 걸어 들어갔다. 대남은 고민을 거듭하고 있는 민 검사를 향해 나직이 말했다.

"차장님을 뵙고 오겠습니다."

"……!!"

일전에 대남과 차장이 언성을 높였다는 것을 알고 있는 민 검사의 안색이 시퍼렇게 질려 들어갔다.

"차장님은 왜……?"

"이 사건을 주신 분이 차장님 아닙니까, 진의를 여쭤봐야죠."

"그건 너무 성급하지 않나."

민 검사의 우려 섞인 목소리에 대남이 고개를 저어 보였다.

"사건 자체가 가지는 불협화음을 해소하기 위해선 차장님의 진의를 알아보는 것이 중요합니다. 성급한 것이 아니라, 섣불리 움직일 수 없는 것 아닙니까. 혹여나 검사님의 승진에 문제가 생길까 봐 말입니다."

"……."

민 검사는 쉽사리 입을 열지 못했다. 자신이 맡아 수사하던 사건에 특이점이 보인다면 끝까지 조사하는 게 옳았으나, 이번 사건 같은 경우 일전의 사건들과는 궤를 달리했다.

차장이 직접 자신의 207실로 내려준 형사사건이었으며 괜히 토를 달았다가는 앞으로의 인사고과에 어떤 영향을 끼칠지 몰랐기 때문이다.

"민 검사님께서는 나서지 않으셔도 좋습니다."

"자네는."

민 검사는 뒷말을 차마 할 수가 없었다. 자신은 승진 문제 때문에 고민을 하고 있는데 이제 막 수습 검사로 들어온 신임이 자신보다 더 검사답게 움직이고 있는 것이 아닌가. 대남은 자기 자신을 책망하는 듯 고개를 떨군 민 검사를 향해 말했다.

"저는 승진에 별생각이 없습니다."

멀어지는 대남의 뒷모습을 민 검사는 자리에 앉은 채 황망히 바라볼 뿐이었다.

"갑자기 날 찾아온 이유가 뭔가."

조필우 차장이 대남을 흘겨보며 물었다. 일전 면담 때 언성을 높였던 적이 있던지라 대남이 아직도 좋게 보이지는 않았다. 대남은 그러한 차장의 시선에도 아랑곳하지 않고 오히려 여유롭게 말문을 열었다.

"은평동 살인 사건에 관해 여쭐 게 있어 찾아왔습니다."

"그 사건이라면 이미 수사가 종결에 다다르지 않았나, 자네들은 내 덕분에 다 차려진 밥상에 숟가락만 올리면 되는 격이지. 왜 내게 감사의 말이라도 전하려고?"

"그럴 리가 있겠습니까."

"……!"

차장의 눈꼬리가 치켜 올려졌다. 이맛살이 찌푸려진 것이 심기가 상당히 좋지 않아 보였다. 차장은 마른 입술을 쓸어 보이고는 쓴 말을 내뱉었다.

"찾아온 이유가 뭔가?"

"은평동 살인 사건에 대해 관여하신 바가 없으신지 묻고 싶습니다."

"관여했다라, 수사의 일선 부분에 관해선 당연히 보고를 받았지. 검찰에서 여타 다른 수사를 할 것도 없이 경찰의 초동수사에서 모든 부분이 밝혀지다시피 했으니 내가 따로 관여할 문제는 없었지. 그런데 내가 지금 자네에게 취조를 받아야 하는 입장인가?"

"취조가 아니라, 신임 검사의 궁금증이라고 여겨주시면 좋겠습니다."

"나 때는 초임이 차장검사하고 눈을 마주치는 것도 말도 안 되는 일이었는데 요즘 것들은 참 많이 건방져졌어. 특히 자네 말이야."

차장은 몸을 뒤로 깊숙이 젖히며 계속해서 말을 이어 나갔다. 차장과 초임 검사 사이에 가지는 간극은 사법연수원 기수뿐만 아니라 검찰청에서 가지는 법률의 깊이에도 차이가 있을 터, 차장은 대남이 심히 고까워 보였다.

"동부지검에서 검찰 시보를 보냈을 적에 저는 이렇게 배웠습니다. 검사가 자신이 맡은 사건에 관해선 수단과 방법을 가리지 말고 진실을 찾아내기 위해 힘써라. 애먼 눈속임에 속아 넘어갔다가는 사건에 연루된 모든 이가 피해를 받게 된다. 검사인 제가 아니면 그 누가 은평동 살인 사건의 진실에 대해서 의문을 품겠습니까."

"의문이라니."

"현재 체포된 용의자는 단언컨대 범인이 아닙니다."

"……!!"

차장은 놀랄 대로 놀란 기색이 되어 대남을 노려봤다.

"범인이 아니라니, 초동수사 결과 용의자가 체포되었고 이미 진술도 받아놓은 상태인데 그게 무슨 말이야! 언론에서는 은평동 살인 사건의 수사가 종결되었다 생각하고 있어.

"언론에 잘못된 기삿거리를 흘린 건 애초에 서부지검이었습니다."

"잘못되었다?"

"용의자가 범인으로 확정되지도 않은 사건을 진범을 잡은 것처럼 떠벌리지 않았습니까, 마치 여론에 힘입어 재판을 신속히 끝마치고 용의자에게 형 집행을 내리길 바라는 것처럼 말이죠."

살인 사건이었고, 피해자가 국회의원 자식이었다. 사건을 철두철미하게 수사를 해도 모자랄 판국에 용의자가 진술을 했다고 해서 수사가 유야무야 넘어가는 것 자체가 원칙적으로 옳지 않았다.

"확정되지 않은 사건이 아니라, 확정만 기다리고 있는 사건이지. 이미 용의자가 자백 진술을 했고 범행을 인정했어. 이러한 상황에 수사관들과 검사를 총동원해서 재수사를 시작한다는 것은 그야말로 인력의 낭비 아니겠나."

"제가 말했지 않습니까. 용의자는 범인이 아닐 텐데요."

"뭐?"

"서부지검은 조필우 차장검사님이 부임하고 난 이후부터 중범죄에 관해선 범인을 놓치는 경우가 없었습니다. 그래서 4대 지검 중 명문이라는 소문이 더욱 부각되었는지도 모르죠. 업무량은 많지만 승진을 위해 그만큼 서부지검으로 오기를 원하는 이들도 많습니다."

"하고 싶은 말이 뭔가!"

차장의 노성에 대남이 입가에 비릿한 미소를 품고는 말했다.

"이상하지 않습니까."

"무엇이."

"어떤 지검을 가든 간에 증거가 부족한 중범죄에 관해선 골머리를 썩이게 마련인데, 서부지검은 관할구역에서 그러한 사건이 벌어질 때마다 짜고 맞추기라도 한 듯 증거와 용의자가 나타났습니다."

"그거야 서부지검 검경이 다른 지검보다 우수해서이지, 자네 지금 그걸 말이라고 하고 있나!"

차장의 얼굴은 당장에라도 터질 듯이 붉으락푸르락해져 있었다. 하지만 대남은 그러한 차장의 호통에도 주저하는 기색하나 없어 보였다.

"제가 왜 서부지검으로 발령을 희망했는지 아십니까. 4대 지검에 관한 자료들을 찾아보았는데 유독 서부지검만이 이상했었기 때문입니다."

"뭐?"

"뭐랄까, 지검 자체가 철옹성에 갇힌 것 같달까요. 결속력이 강한 검찰 중에서도 손에 꼽히는 곳이었죠. 가장 흥미로웠던 건 말단부터 시작해서 수뇌부에 이르기까지 하나씩 저마다의 비밀을 가지고 있다는 겁니다. 가령 형사3부 부장검사의 경우 관할구역 불법 유흥업소에게 불법 청탁을 지속적으로 받고 있다던가."

"……!!"

차장이 자리를 박차고 벌떡 일어났다. 금방이라도 욕지거리를 토해낼 것 같이 얼굴이 실룩였고 눈에 서 있는 핏발이 금방이라도 터질 듯했다.

대남은 자리에서 마주 일어나 차장의 시선을 받아내며 말했다.

"차장님의 비밀은 무엇입니까."

대남의 말에 차장의 눈 옆으로 핏대가 섰다. 자리에서 일어선 채 마주 보고 있는 두 사람 사이에선 알 수 없는 기류가 흐르고 있었다.

집무실 안은 살얼음판을 걷는 듯 위태해 보였으며 적막한 긴장감만이 감돌았다.

그러한 긴장감의 종지부를 찍은 것은 다름 아닌 차장이었다.

"그게 무슨 말인가."

어느새 본연의 페이스를 찾은 채 입가에 사람 좋은 미소를 지어 보이며 차장이 대남을 향해 물었다.

그렇다고 집무실 안을 감돌던 분위기가 환기된 것은 아니었다. 미소 뒤에는 여전히 팽팽한 신경전이 존재하고 있었다.

"형사3부의 부장이 관할구역 내의 불법 유흥업소들에 청탁을 받고 있다 했습니다."

"불법 청탁이라, 확실한가."

"확실합니다."

차장은 짐짓 고민하는 표정을 지어 보이고는 도리어 대남을 향해 되물었다.

"그런데 자네가 그걸 왜 조사했지? 수습 검사라면 지도검사의 지도편달 아래 검찰 업무를 배우기에도 시간이 빠듯할 텐데 다른 사람 뒷조사를 해? 그것도 상관이라 할 수 있는 부장검사를 말이야."

차장의 눈꼬리가 금세 치켜 올라갔다. 결속력이 강한 검찰이라는 집단 아래서 상명하복은 절대적인 것이었다. 한데, 이제 막 검찰로 발걸음을 들인 수습 검사가 상관인 부장검사의 뒷조사를 했다니, 그것 하나만으로도 죄를 물을 수 있을 터였지만 대남은 개의치 않았다.

"제가 말하지 않았습니까, 서부지검엔 비밀이 많다고요. 그리고 부장이 가지고 있던 비밀은 너무나도 겉으로 드러나 있어 모르려야 모를 수가 없었습니다. 차장님도 알고 계셨던 거 아닙니까? 부장이 청탁을 받고 있었다는 사실을요."

"⋯⋯!"

오히려 대남이 캐묻자 차장의 얼굴에는 당황한 기색이 역력했다. 하지만 그럼에도 차장은 부장이 청탁을 받았다는 사실보다, 대남이 뒷조사를 하고 다녔다는 것에 논점을 두어 강경하게 언성을 높였다.

"그건 내사에서 밝혀질 일이고, 지금 난 자네의 행동거지를 말하고 있어. 이제 막 수습으로 들어온 초임 검사가 지위를 이용해 같은 식구이자 상관인 부장검사의 뒷조사를 하고 난장판을 만드는 꼴을 차장인 내가 두고만 볼 수 있겠나."

"⋯⋯."

"동부지검에서 고삐 풀린 망아지처럼 날뛰면서 아주 행복했겠지. 검사장이 직접 네 앞에서 무릎을 꿇은 것이나 다름없었으니 웬만한 선배들의 말은 귓등으로 흘렀을 게야. 그래서 지금 은평동 살인 사건에 대해서도 괜한 의구심을 품고 날뛰려는 게 아닌가."

차장은 다시 소파에 앉은 채 팔짱을 끼었다. 대남이 아무 말 없이 묵묵히 듣고만 있자 자신의 윽박이 통하고 있다고 생각한 것이었다. 차장은 기세를 몰아 대남을 향해 단호히 으름장을 놓았다.

"일전의 자네는 시보의 직위였기에 검찰의 정식 구성원은 아니었지, 하나 지금은 검찰의 구성원으로서 해야 할 말이 있고 하면 안 되는 말이 있는 것이야. 은평동 살인 사건이 석연치 않다, 부장이 불법 청탁을 받고 있다. 이 말도 되지 않는 소리를 감히 내 앞에서 늘어놓아!"

"……."

"가장 혁혁한 공을 세우고 있는 우리 서부지검이 뭣 모르는 망둥어 하나 때문에 혼잡해지는 꼴은 내두고 볼 수가 없어. 자네 지금 서부지검을 오염시키고 있는 불순물이 누구일 것 같나?"

대남은 차장의 물음에 고개를 짧게 끄덕여 보이고는 말했다.

"차장님이십니까."

"……!!"

"검사가 본연의 일을 했을 뿐입니다. 부장의 경우 미심쩍은 부분이 많아 통장 내역을 조사했을 뿐이고, 은평동 살인 사건의 경우 앞서 제가 말한 바와 같이 의심스러운 부분이 있었기에 의문을 가졌던 겁니다."

대남이 되묻자, 차장의 얼굴이 다시 붉으락푸르락해졌다. 자신의 으름장에도 기가 죽을 생각을 하지 않고 오히려 더욱 앞장서 나오는 대남의 모습은 여태껏 차장이 봐왔던 검사들과는 궤를 달리하고 있었다.

하지만 대남은 거기서 그치지 않고 도화선에 불을 붙이듯 뒷말을 이었다.

"이러한 상황 속에서 검사 본연의 업무를 망각한 사람이 누구라고 생각하십니까?"

"⋯⋯!!!"

차장 집무실에서 또 한 번의 고성이 터져 나왔다는 사실은 금세 서부지검 형사부에 널리 퍼졌다.

형사3부 207호실의 계장과 실무관은 당혹스러운 표정을 감추지 못하고 있었다. 설마하니 수습 검사가 또 한 번 차장과 언성을 높일 줄은 몰랐기 때문이다.

그 순간, 207호실의 문이 열리며 소문의 주인공인 대남이 들어섰다.

"잠깐 나랑 이야기 좀 하지."

민 검사는 곧장 대남을 자신의 집무실로 불러 세웠다. 계장과 실무관은 둘 사이에 오갈 대화가 자못 궁금했지만 귀만 쫑긋 세울 뿐 별다른 방도가 없었다.

테이블을 마주하고 소파에 앉은 두 사람 사이에선 적막한 침묵만이 흘렀다.

"차장님과 한바탕 했다면서, 이미 지검 내에 소문이 파다하더군."

"벌써 들으셨습니까?"

"그래. 직원들 사이에서 말이 많아. 김 검사가 차장님에게 대들었다는 둥 동부지검에서처럼 앞뒤 분간 안 가릴까 봐 차장님이 직접 먼저 싹을 밟았다는 둥. 하지만 아마 정확한 이야기는 모를 테지."

차장이 대남에게 왜 언성을 높였는지에 대해서 이유를 아는 이는 서부지검 내에 세 사람을 제외하고는 없을 것이다.

국회의원의 딸이 치정 살인을 당했고, 상부에서 수사 종결 지시가 내려왔는데, 그것에 의문을 품고 재수사를 감행한다는 것 자체가 수습으로서는 월권행위나 다름없었기 때문이다.

"검사님, 이대로 가다가는 사건이 묻히고 말 겁니다. 미심쩍지 않습니까. 차장이 감추고 있는 비밀이 무엇인지 말입니다."

대남의 단호한 말에도 검사는 쉽사리 말문을 열 수가 없었다. 서부지검 안에서 차장의 권력에 대항하는 이들은 여태껏 한 사람을 제외하고는 없었다.

강현욱 부부장검사가 차장의 하달을 무시한 채 내부 고발을 진행했고, 그 대가로 좌천을 당했다. 자신 또한 그렇게 되지 말라는 법이 없기에 민 검사의 마음속에 불안이 싹을 틔웠다.

"두렵습니까?"

그 순간, 대남의 목소리가 민 검사의 귓가를 파고들었다.

"넌 내가 여기까지 어떻게 올라왔는지 모를 거다. 수도권 검찰은 대부분 한국대 출신들이 학연을 만들어 라인이 튼튼하지. 지방 법대 출신인 나로서는 여기까지 올라온 것도 기적 같은 일이야. 다시 지방으로 발령을 받을 수는 없어."

"검사님의 마음은 이해합니다. 하지만 그건 지극히 개인적인 야욕을 꿈꾸는 인간의 이기심을 인간 대 인간으로서 이해한다는 것이지, 우린 검사입니다. 출세가 중요하십니까, 아니면 사건의 진실을 밝히는 게 중요하십니까?"

"이미 죽은 사람이야. 유족들 또한 사건을 빨리 마무리하기를 원하고 있고. 더군다나 용의자가 자백을 했지 않나. 이러한 상황에서 괜히 사건을 들쑤셔 봐야 좋을 거 없어. 지금 자네의 행동은 너무 위험해."

민 검사는 대남을 달래듯 말하였다. 하나 그의 목소리는 일전과 다르게 떨리고 있었다. 대남은 묵묵히 민 검사의 말을 듣고 있다 나직이 말했다.

"피해자가 죽었으면 사건을 흐지부지 끝내도 상관없는 것입니까. 그리고 말은 똑바로 하셔야지요. 위험한 건 제가 아니라 서부지검입니다."

"……!"

"은평동 살인 사건은 명백히 조작되었습니다. 그 뒤에 감춰진 진실을 보기 싫어 눈을 감고 고개를 돌려 버리는 것이 검사가 할 짓입니까. 만약 그렇게 한다면 과거 군부정권을 앞세워 권력을 행사하던 공안들과 우리가 다른 게 뭐가 있겠습니까."

대남의 말 한 마디 한 마디가 청천벽력이 되어 민 검사의 가슴을 울렸다.

민 검사는 힘없이 고개를 떨굴 수밖에 없었다. 얼마나 시간이 흘렀을까, 민 검사는 고개를 들어 대남을 바라봤다. 결심한 듯 굳게 닫혀 있던 그의 입술이 열렸다.

"오늘 용의자를 검찰 진술을 위해 부르지. 네 말대로 한번 확인해 보자. 정말로 은평동 살인 사건이 비밀로 감춰진 내막이 있는지."

- 9장 -
서부지검의 비밀(2)

오후 늦은 시각이 돼서야 구치소에 수감되어 있던 용의자가 검찰로 수송되었다. 조서실에 앉아 있는 그는 어깨를 축 늘어뜨린 채 대남과 민 검사를 맞이했다. 그는 고개를 들어 대남과 민 검사를 번갈아 쳐다보고는 힘없이 말했다.

"담당 검사님이 바뀌셨네요……."

대남은 용의자 구진철을 바라보며 물었다.

"단도직입적으로 말하죠. 구진철 씨는 초동수사 시에는 범행 사실을 극구 부인했습니다. 하지만 갑작스레 진술을 번복했죠. 그 이유가 뭡니까?"

"……제가 죽였으니까요."

"누구를 말입니까."

"이미 진술을 끝내지 않았습니까, 제가 범인이라고요."

용의자는 울부짖듯 대남을 바라보며 말하였다. 하지만 민 검사와 대남은 그의 담담한 어조 속에 숨겨진 슬픔을 눈치채 지 않을 수가 없었다.

대남은 자리에서 일어나 그의 수인복 윗도리를 강제로 들춰 보았다.

"……!!"

"멍이 많으시네요."

"계단에서 굴렀습니다."

용의자는 시퍼렇게 질린 얼굴로 손사래를 쳤다. 대남은 그 모습에 자세를 앞당기고는 용의자의 눈동자를 유심히 바라봤 다.

지진이라도 난 듯 그의 동공은 분명 극심하게 흔들리고 있 었다. 예정되어 있던 조사가 아니었기에 놀라 그런 거라 생각 할 수도 있지만 분명 그 이상의 당혹스러움이 얼굴에 스쳐 지 나가고 있었다.

"구진철 씨의 어머니는 상당한 기간 투병 중이셨고, 대학병 원에서 거액의 수술을 앞두고 있었습니다. 하지만 병원비를 마 련하지 못해 수술은 차일피일 미뤄졌고 결국 2차 병원으로 전 원을 당하기 직전이었죠. 그런데."

"……."

"갑자기 수술비를 포함한 병원비가 정산되었습니다. 갑자기 없던 돈이 하늘에서 생긴 것도 아닐 텐데 말이죠."

대남은 자신이 사적으로 조사한 수사 자료들을 읽어 내려 갔다. 민 검사의 얼굴에는 놀란 기색이 가득했고 용의자는 당황해 어쩔 줄 몰라 하고 있었다. 대남은 자신이 가정했던 일련의 사건의 내용을 읊어나갔다.

"구진철 씨는 진범이 아닙니다. 피해자를 살해할 동기도, 사적인 원한도 없습니다. 주변인들의 진술에 따르면 헤어진 뒤에도 피해자가 구진철 씨와 적극적인 재결합을 원했고, 구진철 씨는 피해자의 부모를 의식해 피해 다녔습니다."

"······."

"그러다 갑자기 피해자가 싸늘한 사체로 발견되었습니다. 용의 선상에 전 남자 친구였던 구진철 씨가 물망에 오르는 것은 당연한 이야기였지만 그것만으로 유력한 용의자라고 단정 지을 수는 없죠. 그런데 갑작스럽게 진술을 번복하며 피해자를 살해한 칼을 숨긴 장소를 밝혔습니다. 그냥 가만히 있었더라면 구진철 씨에게 화살이 돌려지지 않았을 텐데 이상하지 않습니까?"

대남의 말이 이어질수록 구진철은 옴짝달싹 못 했다. 마른 입술을 깨무는 그의 이빨에는 은은한 핏자국이 배어 나올 정도로 그는 혼란스러워하고 있었다. 대남은 구진철을 바라보며 고개를 저어 보였다.

"국회의원이었던 그녀의 아버지는 구진철 씨의 범행을 엄벌에 처해달라 호소해도 모자랄 판국에 서부지검에 어서 빨리 수사 종결을 시키라 종용했습니다. 서부지검은 그에 발맞춰 살인이라는 중범죄를 신속히 종결하려 하고 있고요."

"……"

"구진철 씨는 범인이 아닙니다. 그렇다면 피해자를 살해한 진범은 누구일까요."

이어지는 뒷말에 민 검사가 자리를 박차고 일어났다.

"그녀의 아버지입니까."

민 검사는 대남의 말에 안색이 시퍼렇게 질려 들어갔다.

"그게 무슨 말인가!"

민 검사의 말에도 대남은 표정 하나 바꾸지 않은 채 계속해서 용의자 구진철을 주시했다. 구진철은 대남의 입에서 아버지라는 말이 나오자 어쩔 줄 몰라 했다. 대남은 그런 구진철을 직시한 채 말을 이었다.

"당신은 진범이 아닙니다. 거래가 있었겠죠. 갖은 핍박과 압박을 받으며 결국 어머니를 살리기 위해서라는 허울 좋은 한마디에 넘어간 당신은 용의자가 아니라 피해자입니다."

"……"

"말씀하세요. 당신에게 누명을 씌운 이가 누구인지."

구진철은 고개를 떨군 채 한없이 눈물을 흘리고 있었다. 민 검사는 돌아가는 상황이 믿기지 않자 눈을 부릅뜬 채로 자리를 지키고 있을 뿐이었다. 대남은 묵묵히 눈물을 흘리는 구진철을 바라만 볼 뿐이다.

얼마나 시간이 흘렀을까, 눈물을 흘리던 구진철이 겨우 힘을 내어 입을 열었다.

"……말할 수 없습니다. 그녀는 제가 죽였습니다."

"병상에 홀로 계시는 어머니 때문입니까."

"……"

"구진철 씨가 범행 일체를 자백했고, 죄를 뉘우친다고 해서 감경이 내려질까요? 아마도 구진철 씨에게 거래를 제안한 상대방 쪽에서 징역을 살다 감형을 할 수 있도록 하겠다고 말을 했겠죠. 하지만 생각해 보세요."

대남은 구진철을 향해 담담하게 말을 이었다.

"구진철 씨는 누명을 씀과 동시에 진범의 정체를 알고 있는 목격자입니다. 진범의 입장에서 구진철 씨가 사회에 나와 허튼소리를 하는 것이 보기 좋지 않겠죠. 만약 제가 진범이라면 구진철 씨를 감옥에서 영영 빠져나오지 못하게 만들 겁니다."

"……!!"

"감형을 받지 못하게 손을 쓸 수도 있는 것이고 원래 감옥이라는 곳이 폐쇄적이나 그만큼 안에서 어떠한 일이 벌어져도 밖에서는 알 방도가 없는 곳이기도 합니다."

"……어머니는 수술 이후에도 지속적인 치료가 필요합니다. 하지만 지금의 제 능력으로는 어머니를 편히 모실 수가 없습니다. 검사님의 말씀이 어떤 건지는 알지만 저는 범인이 맞습니다. 그녀는 제가 죽였습니다."

구진철은 입술을 이빨로 깨물며 힘겹게 말했다. 대남은 그의 목소리를 묵묵히 듣고 있다 고개를 저어 보였다.

"구진철 씨의 어머니는 당신 하나만을 바라보고 평생을 사셨습니다. 이러한 분께서 당신이 살 수 있다고 아들이 죽는 것을 좋아하시겠습니까?"

"……검사님이 뭘 아십니까? 검사님은 제가 범인이 아니라는 사실을 결코 밝힐 수 없으실 겁니다. 제아무리 검사라 해도 말입니다……."

구진철은 갖은 협박을 당한 듯 눈동자에는 더 이상 힘이 깃들어 있지 않았다. 그의 눈에 비친 민 검사와 대남의 모습은 그저 검찰청에서 흔하디흔한 평검사들이었다. 과연 저들이 진범에 대항할 수 있을까, 구진철의 고개가 돌아갔다.

"당신에게 누명을 씌운 진범은 분명 지금도 검찰을 주시하고 있을 겁니다. 제가 생각하는 이가 범인이 맞다면 서부지검이 그의 손바닥 위에 놓여 있다 해도 과언이 아니겠죠. 그러나."

대남은 자리에서 일어나며 구진철을 내려다보았다.

"제가 반드시 잡을 겁니다."

용의자 구진철에 대한 검찰 조서가 끝난 뒤, 민 검사는 곧장 차장에게 호출을 받았다.

민 검사가 무거운 발을 이끌고 차장실로 도착했을 무렵에는 이미 차장은 팔짱을 낀 채 수라 속의 염라라도 된 것처럼 눈을 부라리고 있었다.

"자네 도대체 뭘 한겐가?"

"무엇을 말입니까."

"오늘 갑자기 구진철에 대한 진술 조서를 했다고 하는데 말이야. 상부에 보고도 하지 않고, 너희들 마음대로 구치소에 수감되어 있던 용의자를 꺼내? 민 검사, 자네 이러려고 서부지검으로 온 건가!"

차장의 윽박에 민 검사가 고개를 떨구었다. 그도 과연 진실이 무엇인지 이제 헷갈릴 지경이었다. 과연 대남이 진실을 말하고 있는 것일까, 차장이 거짓을 말하는 게 아닐까. 그의 머릿속이 이 잡듯 복잡해지고 있었다.

"서부지검으로 왔을 때만 해도 중앙으로 가는 푸른 청사진을 마음속에 품고 왔겠지. 하나 상부에서 내려준 사건에 대해서 이렇게 재수사를 감행한다는 것 자체가 상부에 대한 도전이고 월권행위라는 것을 모르나?"

"하지만 김대남 검사의 말처럼 은평동 살인 사건은 미심쩍
은 부분이 있는 사건입니다."

"미심쩍은 부분이라, 확신할 수 있나."

민 검사가 대답을 하려 하자 차장이 이맛살을 찌푸려 보이
며 말을 이었다.

"잘 생각하고 답변하게. 그 대답 하나에 앞으로 자네 검찰
인생이 걸려 있다고 해도 과언이 아니야. 여기까지 올라온 것
이 아깝지도 않나, 이번에는 지방으로 발령받는 것으로 끝나
지 않아."

차장은 민 검사가 쉽사리 대답을 하지 못하자 입가에 흡족
한 미소를 지어 보이며 자리에서 일어났다.

그러고는 오른손으로 자리에 앉아 고개를 떨구고 있는 민
검사의 어깨를 짚어 보였다.

"지금 자네 밑에 있는 김대남은 한마디로 미쳐 날뛰는 거나
마찬가지야. 자기 딴에는 더 이상 법조계에 미련이 없겠지, 이
미 사법연수원을 입소하기 전부터 사회생활을 했던 놈이니 말
이야."

"……"

"하지만 자네는 다르지 않나, 앞으로 법조계에 사활을 걸어
야 할 테고. 검사로서 검찰에서 올라가고자 하는 자리가 있을

터인데 이렇게 하달에 반기를 들어서야 서겠나. 여태까지 반기를 들었던 이들이 어떻게 되었는지 보지 않았나."

민 검사는 입을 꾹 다물었다. 자신도 차장이 뜻하는 바를 모르지 않았다. 그리고 상부의 하달에 반기를 들었던 이들의 마지막이 어떠했는지도 잘 알고 있었다.

차장은 이번 기회에 민 검사에게 확실히 각인시키려는 듯 단호히 말했다.

"평생을 평검사로 살며 후배들의 밑을 닦아주거나, 지방으로 좌천을 당해 검찰 생활 내내 떠돌이 생활을 해야 했지. 그렇게 한다고 위해주는 사람이 있던가, 오히려 쉬쉬하며 피하기 바쁘지."

"……."

"그들이 퇴직한 후에는 무얼 하던가. 말이 좋아 인권 변호사나 노동 변호사를 자처하지만 실상은 자신을 찾아오는 의뢰인이 없어 그렇게라도 생명을 연명하고 있는 것 아니겠나. 이게 바로 대한민국의 현실이야. 그리고 자네는 그런 현실의 중심에 들어왔고 말이지."

민 검사의 등 뒤로 굵은 땀방울이 맺혀 흘렀다. 차장이 이토록 노골적으로 협박을 할 줄은 예상하지 못했기에 그럴지도 몰랐다.

"검사는 항상 가슴속에 칼 한 자루를 품고 사는 것이나 마찬가지야. 하지만 그 칼이 밖을 향해야지, 안을 향하면 어떻게 될 것 같나."

차장은 날 선 눈동자로 민 검사를 노려보았다.

"자기 심장을 찌르는 법이지, 김대남은 지금 그러한 과오를 범하고 있어. 자네까지 그런 과오에 동참을 해서야 쓰겠나. 김대남, 그놈 어디 있나 지금."

"그, 그게……."

민 검사는 짐짓 주춤거리다 말했다.

"진실을 밝히러 갔습니다."

KBC 방송국은 대남과 인연이 깊은 곳이다. 대남이 '대국민 퀴즈쇼'를 시작했던 곳이었고 그 인연의 연장선으로 방송국 사장과 개인적인 친분을 쌓을 수 있었다. 그 때문일까, 방송국은 대남이 갑작스럽게 제안한 인터뷰에도 흔쾌히 수락을 해보였다.

"'시사 쟁점 토론'에 검사님께서 직접 나와주시니 정말 감사합니다."

'시사 쟁점 토론'의 PD가 대남의 손을 마주 잡으며 감사함을 표시했다.

대남은 이전부터 방송가의 블루칩이라 불리며 PD들 사이에 선 전설적인 입지를 자랑했다. 더불어 법조계에서 시보 때부터 보인 활약 덕분에 수습이지만 이미 스타 검사라 불려도 손색이 없을 정도였다.

"'시사 쟁점 토론'은 생방송으로 진행되지만 분야별 전문가들이 등장하기에 별다른 대본은 없습니다. 대략적인 줄기는 회차마다 진행되는 주제별로 진행되죠. 이번 주제는 아무래도 범죄와의 전쟁 이후 범죄 실태에 대한 국민의 관심도가 높기 때문에 중범죄로 선정했습니다."

"제가 갑자기 출연을 한다고 해서 피디님께서 곤란하신 게 아닌가 싶네요."

"전혀 아닙니다. 사실 검찰청 관계자를 섭외하고 싶어서 연락을 취해도 거절한다는 공문밖에 받지 못했는데, 이렇게 대남 씨께서 직접 출연 연락을 주셔서 꿈인가 싶습니다. 저희 제작진도 지금 대남 씨가 출연한다고 하니 난리가 났고요."

PD의 얼굴에는 미소가 가득 피어 있었다. 여태껏 방송에 등장만 했다고 하면 기록적인 시청률을 갱신했던 대남이 제 발로 찾아온 것이나 마찬가지였으니 말이다.

곧이어 '시사 쟁점 토론'의 진행을 맡은 아나운서가 대남과 인사를 나누었고 스튜디오에 착석했다.

"드라이 리허설 하겠습니다. 출연자분들은 전부 동선 파악해 주시길 바랍니다."

동선을 파악하기 위한 드라이 리허설이 끝나자 방청석에 방청객들이 들어차기 시작했다.

그들은 본래 예정되어 있던 법조인이 아닌, 대남이 스튜디오에 서 있자 놀라 수군거렸다.

수군거리는 소리가 커지자 조연출이 직접 제지하기는 했지만 소리는 생방송이 시작되기 전까지 사그라들 기세가 보이지 않았다.

"촬영 시작하겠습니다."

조연출의 컷 소리와 함께 생방송의 막이 올랐다. 아나운서의 등장에 방청객들은 숨을 죽였고 뒤이어 대남이 등장하자 카메라가 그 얼굴을 줌인했다.

"자, 금일 '시사 쟁점 토론'은 범죄와의 전쟁 이후 대한민국의 범죄 실태에 대해 토론을 나눠 볼 텐데요. 중범죄라는 주제에 맞춰 법조계 현직 인사분이 직접 출연해 주셨습니다. 지금 생방송을 시청하고 계시는 시청자 여러분들께서도 익히 알고 계시는 분이라 생각되는데요. 현재 서부지검 형사부에 소속된 김대남 검사입니다."

"안녕하십니까. 서울서부지검 형사3부 검사 김대남입니다."

대남이 정면 카메라를 향해 목례를 하자 방청석에서 박수갈채가 쏟아졌다. 아나운서와 PD의 입가에는 숨길 수 없는 미

소가 피어오르고 있었다. 아나운서는 예정된 방송 수순대로
진행을 시작했다.

"김대남 검사님께서는 시보일 때부터 중범죄를 해결할 정도
로 아주 능력이 탁월하다고 검찰 내에서도 소문이 자자한 것
으로 알고 있습니다. 사법연수원도 수석으로 수료하셨다고 하
던데요. 검사를 선택한 이유가 무엇인지 알 수 있을까요?"

"법조인으로서 가장 범죄와 가깝고, 정의와는 멀다고 생각
했기 때문입니다."

"정의와 멀다고요?"

"국민 여러분이 느끼기에 법정에서 이해가 되지 않는 판례
들이 있을 겁니다. 가령 재벌총수와 국회의원들은 수억을 횡
령하고, 무슨 짓을 하든 공론이 되기는커녕 오히려 쉬쉬 되게
마련입니다. 언론도 권력의 눈치를 보고, 법조계도 권력의 눈
치를 보고 있는 실정에 정의가 가깝다고 할 수는 없겠지요."

대남의 폭탄 발언에 아나운서의 눈이 커졌다. 입가에 미소
를 짓고 있던 PD도 당혹스러운 표정을 지어 보였다.

카메라 감독은 이때를 놓치지 않고 당황하는 아나운서를
계속해서 담아내었다. 아나운서는 급히 말꼬리를 돌리기 위해
애썼다.

"김대남 검사께서 이번에는 은평동 살인 사건의 수사권을
맡았다고 들었는데 말입니다. 언론에서는 이미 수사 종결이

된 사건을 김 검사님께 몰아주어 스타 검사를 만드는 것에 일조하는 게 아니냐는 풍문도 있습니다. 이에 관해서는 어떻게 생각하십니까."

"은평동 살인 사건의 수사권은 현재 형사3부 207실의 민중 검사와 제가 맡았습니다. 그 점에 관해서는 부정을 할 수 없겠군요. 하나 수사 종결이라는 말은 어폐가 있는 것 같습니다."

"어폐라니요? 이미 용의자가 구속되고 범행 일체를 자백했다고 들었는데 말입니다."

아나운서의 의아한 물음에 대남이 고개를 저어 보였다. 그 모습에 카메라 감독이 대남의 모습을 줌인했다. 대남은 정면 카메라를 바라보고는 나직이 말했다.

"진범은 아직 잡히지 않았습니다."

대남의 말에 진행자가 대경한 듯 소스라쳤다. 방청석에서도 수군거리는 소리가 커져만 갔다.

PD 또한 상황이 어떻게 돌아가는지 모르겠다는 표정을 한 채 연신 눈알을 굴리며 생각하기에 바빴다.

모두가 혼란스러운 가운데, 진행자가 겨우 진정을 하고는 마이크를 잡았다.

"그 말인즉, 아직 공범이 잡히지 않았다는 말씀입니까?"

대남이 한 말을 머릿속으로 애써 빠르게 정리한 진행자가 되물었다. 여기저기서 목울대 사이로 침 삼키는 소리가 들렸다. 방금까지 시청률 대박을 예상하던 PD는 이제 진땀이 난 손으로 대남을 바라보고 있었다.

대남은 자신에게로 집중된 이목을 받아내며 유유히 말을 이었다.

"다시 한번 말씀드리지만, 현재 구치소에 미결수 신분으로 수감되어 있는 용의자는 범인으로 단정 지을 수가 없습니다."

"……!!!"

"잠, 잠깐. 그렇다면 지금 김대남 검사님께서 말씀하신 것이 서부지검의 공식적인 브리핑에 해당하는 내용입니까? 현재까지 서부지검에서 공식 발표한 은평동 살인 사건 브리핑에 따르면 초동수사 결과 체포된 용의자가 유력한 범인이라고 재차 발표했었는데요!"

진행자의 다급한 물음에 대남은 천천히 고개를 저어 보였다.

그 모습은 카메라에 유심히 담기고 있었다. 카메라가 대남의 얼굴을 줌인하던 순간, 목소리가 핸디마이크를 타고 장내에 울려 퍼졌다.

"공식 발표는 아닙니다."

"그럼……?"

"은평동 살인 사건의 수사권을 가진 담당 검사. 바로 저, 김대남의 직관입니다."

"그게 무슨."

진행자는 말을 채 잇지 못하고 곧장 고개를 돌려 세트장 밖에 있는 PD에게 눈짓했다. 도대체 이게 무슨 말이냐는 눈빛이었지만 PD 또한 어떻게 된 영문인지 모르겠다는 눈치였다.

중범죄라는 주제에 맞춰 진행되던 토론은 갑작스레 은평동 살인 사건으로 포커싱이 맞춰지게 되었다.

"은평동 살인 사건은 발생한 지 한 달이 채 지나지 않은 시점에 모든 수사가 종결되다시피 일사천리로 진행되었습니다. 그 이면에는 초동수사 결과 체포된 용의자가 순순히 자신의 죄를 자백했다는 점도 일조를 했고요. 하지만."

대남이 마지막 어조에 강세를 주며 외치자 수군거리던 방청석이 일제히 조용해졌다. '시사 쟁점 토론'의 진행을 이어 나가야 할 아나운서 또한 그의 뒷말이 궁금해 벙어리가 된 채 바라볼 뿐이었다.

"그렇다고 해서 수사가 끝난 것은 아닙니다."

"그, 그게 무슨 말입니까? 이미 용의자가 자백을 한 상태인데 수사가 끝난 것이 아니라니, 지금 검사님이 무슨 말을 하고 있는지 알고 계십니까? 세상천지에 자기가 살인을 하지도 않았는데 살인을 했다고 진술하는 이가 어디 있다는 말입니까."

호소하듯 소리치는 진행자의 얼굴에는 당황하는 기색이 역력했다. 카메라는 그걸 놓치지 않고 여유로운 대남의 모습과 번갈아 촬영하고 있었다.

'시사 쟁점 토론'이라는 프로그램명과는 턱 어울리지 않을 정도로 다이나믹한 장면의 연속이었지만 송출되는 영상은 분명 주말연속극 못지않은 몰입력을 가지고 있었다.

그리고 화룡점정을 찍듯 대남이 단호히 말했다.

"두고 보면 알겠죠."

"……!!"

놀란 진행자가 입을 벌림과 동시에 PD가 손에 들고 있던 볼펜을 떨어뜨렸다.

경악할 만한 놀라움이 장내에 가득 들어찼지만 믿기지 않을 만큼 고요한 적막감도 동시에 찾아왔다. 대남이 한 대답의 의도가 어떤 것인지 파악이 안 돼 얼떨떨한 방청객들은 놀란 눈으로 고개를 주억거렸다.

그 순간, 진행자와 PD의 시선이 교차했다. PD의 뜻을 알아들은 듯한 진행자가 곧장 고개를 끄덕이고는 입을 열었다.

"자, 자, 잠깐 광고 시청하고 2부에서 진행하도록 하겠습니다."

방송사고였다. 명실상부 부정할 수 없는 방송사고였으며 진행자의 재간으로 그나마 막아낼 수 있었다.

생방송 도중에 PD가 전하는 진의를 알아듣고 광고를 집어넣은 진행자의 얼굴에는 분칠이 흘러내릴 정도로 진땀이 흐르고 있었다.

장내가 혼란스러운 와중 대남은 세트장 한편 아무도 듣지 못할 외진 장소에서 PD와 대화를 나누고 있었다.

"어, 어떻게 된 겁니까, 대남 씨."

"뭐가 말입니까?"

"아니, 지금 사고가 나게 생겼지 않습니까, 생방송 도중에 그렇게 폭탄 발언을 하시면 어떡합니까, 분명 잠시 뒤면 검찰에서도 연락이 올 테고요. 한데 정말 오늘 촬영 상부에서 허락된 것 맞습니까……?"

PD의 의아한 물음에 대남이 고개를 짧게 끄덕여 보였다.

"부장께 직접 허락을 받았습니다. 물론 단순한 법률 프로그램에 출연차 가는 줄 아시겠지만요. 공문으로도 직접 허가가 떨어졌으니 그 문제에 대해서는 걱정하지 않으셔도 좋습니다."

"잠, 잠깐 그러면 지금 생방송 도중에 발표한 내용은 검찰 상부에 보고된 내용이 아니었다는 말입니까?"

"네."

대남이 한 치의 망설임도 없이 대답하자, PD가 다소 신경질적으로 손바닥으로 자신의 얼굴을 쓸고는 곧장 앞섶에서 담뱃갑을 꺼내 담배를 말아 물었다.

실내 세트장이었지만 개의치 않는다는 듯 뿌연 담배 연기가 피어올라 천장 골조와 맞닿았다.

"대남 씨, '시사 쟁점 토론' 종방연 만들려고 하시는 겁니까. 검찰과 관계된 민감한 사안을 검찰 평검사가 상부의 지시도 없이 마음대로 말해도 되는 거냐고요. 은평동 살인 사건은 이미 범인이 잡힌 사건이 아닙니까, 그걸 되려 방송에서 뒤집어 엎었다가는……."

"시청률은 대기록을 갱신하겠지요."

"……!"

"책임은 제가 집니다. 어차피 방송 출연에 관한 허가는 받은 상태이고, 방송 내용에 관한 징계는 제가 달게 받으면 되는 것입니다. PD님께서는 지금 살아생전 몇 번 경험해 보지 못할 기회를 얻으신 겁니다."

대남의 말에 PD가 입에 꼬나물고 있던 담배를 급히 뺄고는 뒤꿈치로 비벼 껐다.

이미 생방송으로 진행되어 송출된 방송분은 어쩔 수 없었다. 2부가 시작되면서 방송사고를 급히 수습하냐, 아니면 이대로 직진하냐 선택의 기로에 놓인 것이다. PD는 고개를 들어 대남을 바라봤다.

"확실한 겁니까? 방송에서 김 검사님의 의견만 가지고 이야기하다가 잘못되기라도 하면……"

"말하지 않았습니까, 책임은 제가 지는 것이고 전……."

대남은 말을 멈추고 세트장을 바라보며 말을 이었다.

"거짓말을 하는 사람이 아닙니다."

'시사 쟁점 토론' 2부가 시작되었다.

생방송 도중 전례 없었던 광고 진행이 지나가고 난 뒤였기에 진행자의 이마에는 송골송골 땀방울이 맺혀 있었다.

하지만 프로였기에 그의 목소리에는 더 이상의 떨림이 느껴지지 않았다.

"자, '시사 쟁점 토론'의 2부의 막이 올랐습니다. 김대남 검사의 발언으로 인해 1부가 끝나고 KBC 시사·교양국으로 문의 전화가 빗발쳤지만 제대로 된 확답을 해드릴 수 없는 점 시청자 여러분께 고개 숙여 사과드립니다. 그리고 시청자 여러분께서 궁금해하시는 대답은."

진행자가 급히 고개를 돌려 대남을 바라봤다. 그 모습을 카메라가 뒤따라가며 담아내었다.

"본 2부에서 김대남 검사님의 입을 통해 밝혀질 것입니다!"

진행자의 말에 방청석은 전부 숨을 죽이고 대남을 바라봤고, 세트장의 제작진들도 마른 입술을 쓸며 대남에게로 시선을 돌렸다.

PD는 이번 기회가 자신의 방송국 인생에서 천운이 될지, 재앙이 될지 초조하고 긴장된 마음으로 대남을 주시했다.

"1부의 말미에 밝혔다시피, 현재 서울구치소에 미결수 신분으로 수감 중인 용의자 구진철 씨에 대한 검찰수사는 종결된 것이 아닙니다. 은평동 살인 사건은 그 자체만으로도 많은 의구심을 품게 하는 사건입니다."

"의구심이라니, 구체적으로 말씀해 주실 수 있으십니까?"

"일단 타살이라는 사건의 정황상 밝혀져야 할 범행의 동기가 용의자에게는 없었습니다. 알리바이 또한 존재하고요. 범행은 피해자와 연락을 끊은 지 반년이 지난 시점에 발생했고, 피해자가 살해되던 날 범행 장소와 몇백 킬로미터나 떨어진 대구의 성서공단에서 용의자를 목격했다는 목격자들이 여럿 나타났었습니다."

"하지만 용의자의 지문이 묻어 있는 칼이 발견되지 않았습니까?"

진행자의 의문 섞인 물음에 대남은 고개를 저어 보였다.

"물증에 지문이 묻어 있다고 해서 확정적인 증거가 되는 것은 아닙니다. 또한 가장 조작하기 쉬운 것 중 하나가 지문입니다. 애초에 범죄 현장에서 드러난 칼도 아니었거니와, 용의자 진술 결과 나타난 증거물품입니다."

"잠깐만요. 이해가 되지 않습니다. 용의자가 만약 범인이 아니라면 그렇게 자백할 까닭이 없지 않습니까. 조작되었다고 말씀하셨는데 용의자가 직접 범인이 되는 길을 선택할 이유가 있을까요? 도리어 자신의 누명을 벗고 싶었을 텐데요."

"자백이 아니라, 강요라고 보는 게 옳지요."

"……!!"

강요라는 단어에 진행자가 아연실색한 표정을 지어 보였다. 대남은 장내의 분위기에도 아랑곳하지 않고 계속해서 단호히 말을 이었다.

"검찰과 경찰은 공정한 수사와 조사를 해야 함이 옳습니다. 하나 과거 군부정권 시절을 돌이켜보면 체계적이지 않은 수사 뒤에는 항상 강압 조사가 뒤따랐습니다. 용의 물망에 오른 이들에게 겁박을 주어 강제로 자백을 하게 함은 물론이고, 없던 죄도 만들어 뒤집어씌웠습니다."

"……."

"물론 과거의 병폐를 이 자리에서 말하는 것은 옳지 않습니다. 하지만."

대남은 마지막 어조를 강조해 말하였다. 카메라가 그의 얼굴을 잡아내고 있었고 방청객들은 마치 흥미진진한 영화를 관람이라도 하는 양 자세를 앞당긴 채 대남을 향해 귀를 쫑긋 세웠다.

"은평동 살인 사건에 한해서 저는 그러한 과거의 병폐가 다시 되살아났다고 보고 있습니다."

"……!"

진행자의 얼굴이 더 이상 일그러질 수 없을 정도로 경악으로 물들어갔다.

폭탄 발언의 연속이었다. 방청석을 자리하고 있던 방청객들 사이에서도 계속해서 수군거리는 소리가 커졌다.

스태프가 생방송임을 각인시키며 손짓하자 그제야 조용해졌다.

"허."

한편, 세트장 한편에 서 있던 PD는 놀라서 저도 모르게 탄식하며 자리에 주저앉을 뻔했다.

조연출의 도움을 받아 간신히 주저앉지는 않았지만 얼마나 놀랐는지 이미 셔츠가 땀으로 범벅이 되어 있을 지경이었다.

"잠, 잠깐만요. 지금 김대남 검사의 말대로라면 서부지검에서 발표한 은평동 살인 사건의 용의자는 강압에 의한 자백으로 만들어진 가짜라는 말입니까?"

"백 퍼센트 확신할 수는 없으나, 그럴 확률이 아예 없다고도 말하지 않겠습니다."

"확실하지 않은 정보를 여기서 말해도 되는 것입니까, 그것도 검찰 관계자가 말입니다."

진행자는 이제는 검찰을 의식해서라도 수습을 하려는 것이 보였지만 대남은 개의치 않은 듯 단호히 말했다.

"검찰에 몸담고 있는 검사로서 말하는 것입니다. 맡은 사건에 대해 수상한 특이점이 있다면 재수사를 하는 것이 옳습니다. 그것이 검찰의 치부를 들추는 일이 되더라도 말입니다. 저는 검사 임명장을 받으며 했던 선서를 아직 잊지 않고 있습니다."

"선서라고요?"

"현재 검찰청에 있는 모든 법조인은 한 번쯤 읊어봤을 선서문입니다. 공익의 대표자로서 정의와 인권을 바로 세우고, 오로지 진실만을 따라가는 공평한 검사. 국민을 섬기고, 국가에 봉사할 것을 나의 명예를 걸고 굳게 다짐합니다."

대남은 고개를 돌려 정면 카메라를 바라봤다.

"저는 그러한 검사가 되기 위해 이 자리에 섰습니다."

To Be Continued

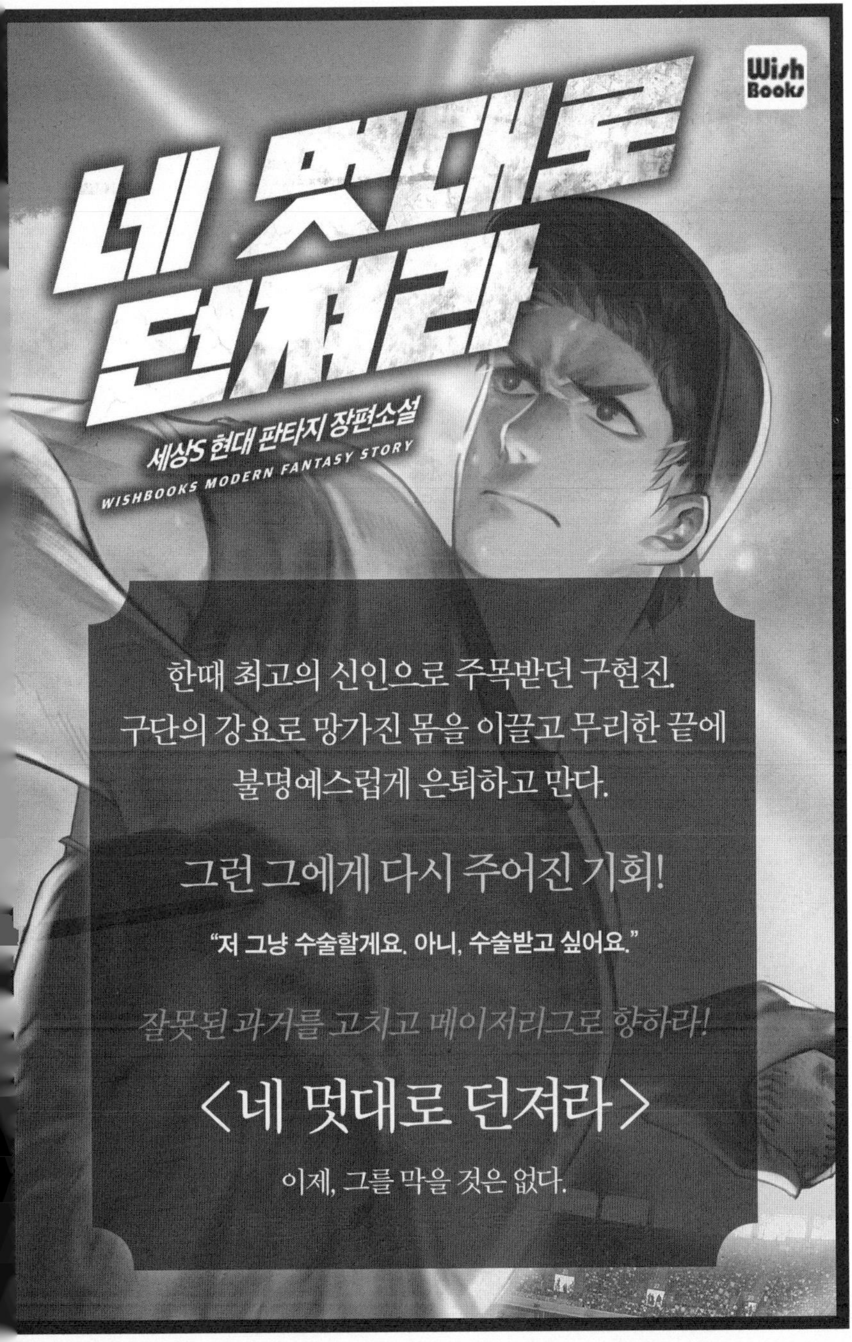
Wish Books
네 멋대로 던져라
세상S 현대 판타지 장편소설
WISHBOOKS MODERN FANTASY STORY
한때 최고의 신인으로 주목받던 구현진.
구단의 강요로 망가진 몸을 이끌고 무리한 끝에
불명예스럽게 은퇴하고 만다.
그런 그에게 다시 주어진 기회!
"저 그냥 수술할게요. 아니, 수술받고 싶어요."
잘못된 과거를 고치고 메이저리그로 향하라!
〈네 멋대로 던져라〉
이제, 그를 막을 것은 없다.

Wish Books
맛김 현대 판타지 장편소설
WISHBOOKS MODERN FANTASY STORY
책 먹는 배우님
"재희야, 너는 왜 대본을 항상 두 권씩 챙기냐?"
하나는 촬영장에 들고 다니며 남들에게 보여주는 용도.
또 다른 하나는
[드라마 〈청춘열차〉가 흡수 가능합니다.]
[대본을 흡수하시겠습니까?]
내가 먹을 용도로 쓰인다.
나는 대본을 집어삼켜, 오로지 내 것으로 만든다.
책 먹는 배우님
대본을 101% 흡수할 수 있는 배우,
재희의 이야기.

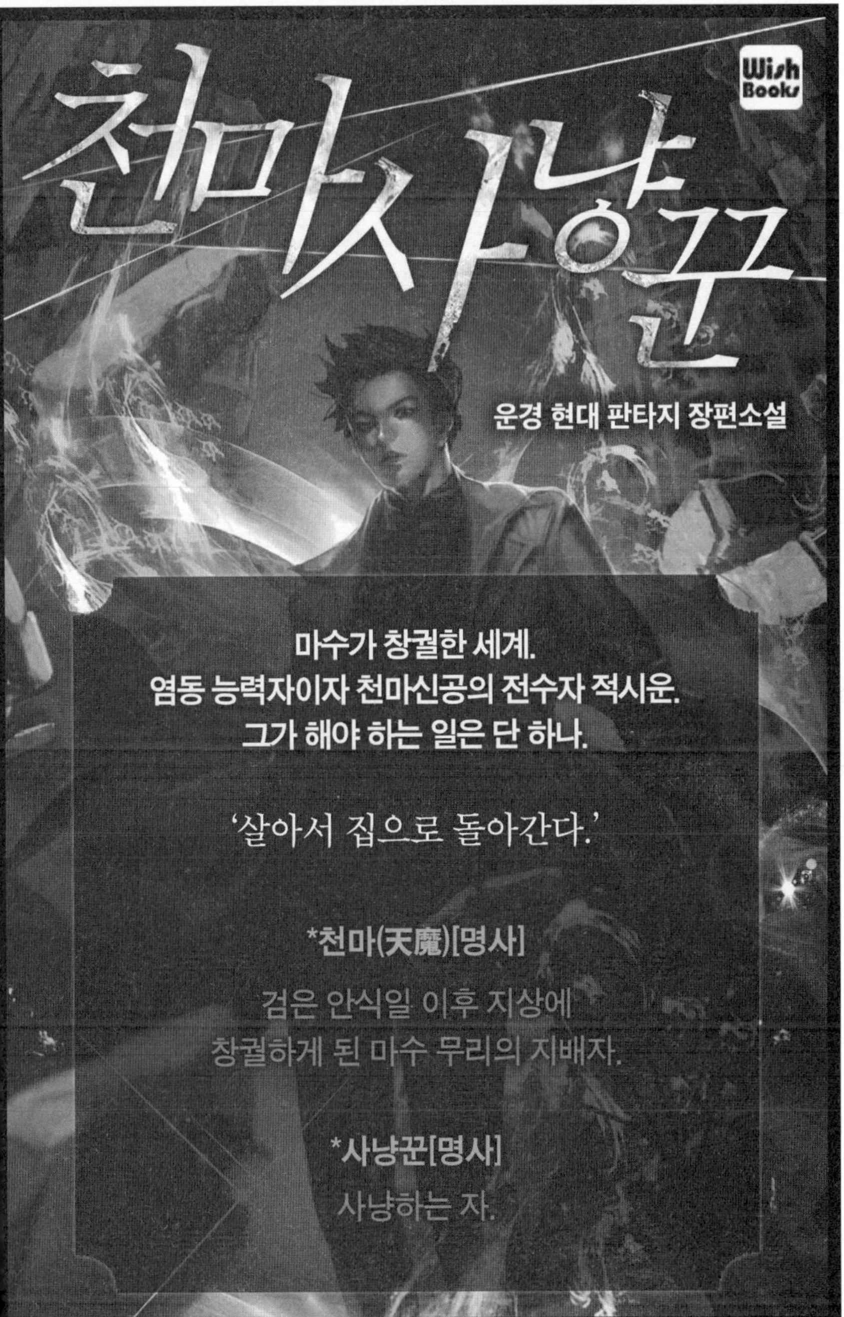

Wish Books
천마사냥꾼
운경 현대 판타지 장편소설
마수가 창궐한 세계.
염동 능력자이자 천마신공의 전수자 적시운.
그가 해야 하는 일은 단 하나.
'살아서 집으로 돌아간다.'
*천마(天魔)[명사]
검은 안식일 이후 지상에
창궐하게 된 마수 무리의 지배자.
*사냥꾼[명사]
사냥하는 자.

Wish Books

OTHER VOICES

악마의 음악

WISHBOOKS MODERN FANTASY STORY

경우勁雨 현대 판타지 장편소설

[악마의 목소리가 담긴 음악으로
세상에 행복을 줄 수 있을까?]

지미 헨드릭스부터 라흐마니노프까지
꿈속에서 만나는 역사적 뮤지션!

노래를 사랑하는 소년에게 나타난 악마.
그런 소년에게 내려진 악마들의 축복.

악마의 음악

수많은 악마의 축복 속에서
세상을 향한 소년의 노래가 시작된다.